Les orphelines

***

Brenda

VIRGINIA C. ANDREWS

Fleurs captives
Fleurs captives *J'ai lu* 1165/**4**
Pétales au vent *J'ai lu* 1237/**4**
Bouquet d'épines *J'ai lu* 1350/**4**
Les racines du passé *J'ai lu* 1818/**4**
Le jardin des ombres *J'ai lu* 2526/**4**

La saga de Heaven
Les enfants des collines *J'ai lu* 2727/**5**
L'ange de la nuit *J'ai lu* 2870/**5**
Cœurs maudits *J'ai lu* 2971/**5**
Un visage du paradis *J'ai lu* 3119/**5**
Le labyrinthe des songes *J'ai lu* 3234/**6**

Ma douce Audrina *J'ai lu* 1578/**4**

Aurore *J'ai lu* 3464/**5**
Les secrets de l'aube *J'ai lu* 3580/**6**
L'enfant du crépuscule *J'ai lu* 3723/**6**
Les démons de la nuit *J'ai lu* 3772/**6**
Avant l'aurore *J'ai lu* 3899/**5**

La famille Landry
Ruby *J'ai lu* 4253/**6**
Perle *J'ai lu* 4332/**5**
D'or et de lumière *J'ai lu* 4542/**5**
Tel un joyau caché *J'ai lu* 4627/**5**
D'or et de cendres *J'ai lu* 4808/**6**

Les orphelines
Janet *J'ai lu* 5180/**2**
Crystal *J'ai lu* 5181/**2**
Brenda *J'ai lu* 5182/**2**
À paraître
Rebecca
En fuite!

V.C. Andrews™

Les orphelines

***

Brenda

Traduit de l'américain
par Béatrice Pierre

Éditions J'ai lu

Titre original :

BROOKE
Pocket Books, a division of Simon & Schuster Inc., N.Y.

Prologue

Lorsque je vis Pamela Thompson pour la première fois, je la pris pour une vedette de cinéma. Agée de douze ans, j'avais de longs cheveux blonds maintenus par un ruban rose, celui-là même que m'avait mis ma mère avant de me déposer au service de protection de l'enfance et de disparaître. Je n'avais pas tout à fait deux ans à l'époque, ce qui explique que je n'aie aucun souvenir d'elle. Ensuite, il me semble n'avoir été qu'une toupie livrée aux mains indifférentes d'éducateurs et d'assistantes sociales, lesquels m'ont transbahutée d'orphelinat en orphelinat, jusqu'à ce que je me retrouve un beau matin, les yeux écarquillés, devant cette femme splendide aux yeux bleus éblouissants et aux cheveux tissés d'or.

Peter, son mari, était grand et d'allure très distinguée. Les bras croisés sur son manteau en poil de chameau, il se tenait à côté de Pamela et me souriait. Bien qu'on ne fût qu'à la mi-avril et que la scène se déroulât dans la petite ville de Monroe, proche de New York, Peter avait le teint hâlé d'un Californien. Tous deux formaient un couple extrêmement séduisant. Mrs. Talbot, la directrice, que pourtant jamais rien ni personne ne semblait pouvoir impressionner, en restait bouche bée.

Que pouvaient bien me vouloir cet homme et cette femme si merveilleusement beaux ?

— Elle a un maintien parfait, Peter. Regarde comme elle rejette les épaules en arrière, dit Pamela.

— Parfait, approuva-t-il sans cesser de me sourire.

Une lueur amicale éclairait ses yeux verts. J'admirai ses cheveux couleur rouille, aussi soyeux et bien coiffés que ceux de sa femme.

Pamela s'accroupit à mes côtés et colla son visage contre le mien.

— Regarde-nous, Peter.

— Je vois, dit-il en riant. Stupéfiant.

— Nous avons le même nez et la même bouche, non ?

— Identiques, approuva-t-il.

Il devait être myope. J'étais loin de ressembler à cette créature de rêve.

— Et ses yeux ?

— Ils sont bleu clair ; les tiens sont plutôt outremer.

— C'est ce que les journalistes écrivent toujours à mon sujet, précisa Pamela à l'intention de Mrs. Talbot. Des yeux outremer. N'empêche qu'ils ressemblent aux siens.

— C'est vrai, dit Peter.

Elle prit ma main et examina mes doigts.

— Les doigts révèlent une grande partie du potentiel de beauté. C'est ce que m'a dit Miss Amérique l'année dernière et je suis d'accord. Voici des doigts ravissants, Peter. Les articulations ne saillent pas. Brenda, tu ne t'es jamais rongé les ongles, j'espère ?

Ses lèvres pincées m'indiquèrent la réponse à fournir. Je quêtai du regard l'aide de Mrs. Talbot. En vain.

— Je ne me ronge pas les ongles, affirmai-je.

— Eh bien, la personne qui te les coupe ne sait pas travailler.

— Elle les coupe elle-même, Mrs. Thompson. Nos filles ne reçoivent pas de soins de beauté, intervint Mrs. Talbot d'un ton grincheux.

Pamela lui décocha un sourire condescendant et se remit debout.

— Nous la prenons, fit-elle. N'est-ce pas, Peter?

— Absolument, dit-il.

J'avais l'impression d'avoir été achetée. Mrs. Talbot plissa le front d'un air réprobateur.

— Quelqu'un ira vous poser des questions d'ici une semaine ou deux, Mrs. Thompson, dit-elle. Si vous voulez bien revenir dans mon bureau pour que nous puissions compléter le dossier...

— Une semaine ou deux! Peter? gémit Pamela.

— Mrs. Talbot, s'écria-t-il, puis-je utiliser votre téléphone?

Elle lui jeta un regard peu bienveillant.

— Je crois pouvoir abréger la procédure, reprit-il. Et je sais combien vous et vos collègues avez hâte de placer ces enfants dans de bonnes familles. Vous et moi sommes du même côté, ajouta-t-il avec un sourire complice.

Je découvrais ses talents de diplomate. Lesquels, cependant, restèrent sans effet sur Mrs. Talbot qui se raidit.

— Nous ne sommes d'aucun côté, Mr. Thompson. Nous nous contentons de suivre scrupuleusement le règlement.

— Vous avez bien raison. Puis-je utiliser votre téléphone?

— Je vous en prie, allez-y.

Mrs. Talbot recula, laissant Peter pénétrer dans son petit bureau.

— Tu me plais décidément beaucoup, reprit Pamela tandis que son mari téléphonait. Et je vois avec plaisir que tu prends soin de tes dents.

— Je les brosse deux fois par jour.

Ce qui ne me semblait pas extraordinaire.

— Il y a des gens qui ont naturellement une bonne dentition, commenta Pamela à l'adresse de Mrs. Talbot dont les dents se chevauchaient et avaient une teinte jaunâtre. J'ai toujours eu de bonnes dents. L'état de la dentition et le sourire sont nos emblèmes. Ne les néglige jamais. Ne néglige jamais rien, ni tes cheveux, ni ta peau, ni tes mains. Quel âge crois-tu que j'ai ? Vas-y. Essaie de deviner.

De nouveau, je quêtai du regard l'aide de Mrs. Talbot mais elle s'était tournée vers la fenêtre et pianotait sur la table.

— Vingt-cinq ans, répondis-je.

— Tiens, tu vois ? Vingt-cinq ans... Il se trouve que j'en ai trente-deux. Je ne le dis à personne, bien sûr, mais je voulais souligner un fait important.

— Quel fait important ? demanda Mrs. Talbot en se retournant.

— Eh bien, qu'en prenant soin de soi, on recule les effets de l'âge. Est-ce que tu chantes, tu danses ? Est-ce que tu pratiques un art quelconque, Brenda ?

— Non.

Ma réponse avait fusé trop vite. Peut-être aurais-je dû inventer quelque chose.

— C'est la meilleure athlète féminine de l'orphelinat et c'est aussi une excellente élève, intervint fièrement Mrs. Talbot.

— Athlète ? s'esclaffa Pamela. Il n'est pas question que cette fille devienne une athlète dont ne parleront que les dernières pages des journaux sportifs. Elle fera la couverture des revues de mode. Regardez son visage, ces traits, la perfection de son corps. Si j'avais eu une fille, Brenda, elle te ressemblerait tout à fait. Peter?

Il nous rejoignit en souriant.

— Il y a quelqu'un au bout du fil qui voudrait vous parler, Mrs. Talbot, dit-il en décochant un clin d'œil à sa femme.

Pamela posa la main sur mon épaule et m'attira à elle.

— Ma chère petite Brenda, tu vas venir avec nous.

Quand on a été élevé dans l'univers des institutions, encombré de bureaucratie, on ne peut s'empêcher d'être impressionné par les gens qui, d'un simple claquement des doigts, obtiennent ce qu'ils veulent. C'est grisant. C'est comme si l'on s'envolait sur un tapis magique et que le monde que l'on croyait réservé aux heureux élus nous était soudain offert.

Qui pourrait me reprocher de m'être précipitée dans leurs bras?

1

Dépaysement total

Dans mes rêves les plus secrets, de ceux qu'on garde enfouis sous l'oreiller en espérant les retrouver dès qu'on aura fermé les yeux, ma vraie mère revenait à l'orphelinat. Elle ne ressemblait pas du tout aux Thompson. Ce qui ne veut pas dire qu'elle était laide. Au contraire, elle était aussi belle que Pamela et aussi jeune d'aspect.

Dans mes rêves, ma mère était telle que je m'imaginais devenir en grandissant, avec la même couleur de cheveux et les mêmes yeux que moi. Tout était beau chez elle, l'intérieur comme l'extérieur, et surtout elle savait comment faire sourire les gens. Dès qu'une personne triste la voyait, elle oubliait ses malheurs. Avec ma mère à côté de moi, j'oublierais moi aussi ce que c'est que d'être malheureuse.

Dans mon rêve, elle me repérait immédiatement parmi les autres orphelins et, dès que je l'apercevais sur le seuil de l'établissement, je devinais qui elle était. Elle ouvrait les bras et je courais m'y précipiter. Elle couvrait mon visage de baisers et murmurait une kyrielle d'excuses. Je me fichais bien de ses excuses. J'étais trop heureuse.

— Je n'en ai que pour quelques minutes, disait-elle avant d'aller dans les bureaux de l'administration signer tous les papiers nécessaires à ma libération.

Avant même d'avoir compris ce qui se passait, je me retrouvais dehors, lui tenant la main, montant dans sa voiture et m'éloignant avec elle vers une nouvelle vie. Nous aurions tant de choses à nous dire, tant de lacunes à combler, que nous bavarderions sans discontinuer jusqu'à ce qu'elle me mette au lit avec un baiser et la promesse de ne plus jamais me quitter.

Bien sûr, ce n'était qu'un rêve et elle n'est pas venue. Je n'ai jamais parlé d'elle ni posé de questions à son sujet. Je savais seulement qu'elle m'avait abandonnée parce qu'elle était trop jeune pour veiller sur moi mais, au plus profond de mon cœur, j'ai toujours espéré qu'elle avait prévu de revenir me chercher dès qu'elle aurait l'âge de s'occuper d'un enfant. Certainement, elle a dû se réveiller maintes et maintes nuits, comme moi, en se demandant ce que j'étais devenue et si je me sentais seule et effrayée.

Nous autres, orphelins, ne sortions guère que pour aller en classe mais, de temps à autre, l'école organisait une excursion à New York pour visiter un musée ou une exposition, ou encore pour assister à un spectacle. Chaque fois que nous entrions en ville, je pressais mon visage contre la vitre et examinais les gens qui se hâtaient sur les trottoirs, dans l'espoir d'apercevoir une jeune femme qui pourrait être ma mère. Je savais bien que j'avais autant de chances d'y parvenir que de gagner à la loterie, mais c'était mon vœu secret et, après tout, les vœux et les rêves sont ce qui fait vivre les orphelins. Sans eux, nous serions vraiment des âmes perdues.

Je n'avais pas du tout imaginé qu'un couple comme les Thompson désirerait m'adopter et faire de moi un membre de la famille. Les gens riches et puissants comme eux ont d'autres moyens d'obtenir un enfant que de venir en personne examiner ce qu'avait à offrir un vulgaire orphelinat. Ils pouvaient embaucher quelqu'un pour faire ce genre de démarche à leur place.

C'est pourquoi, le jour où ils m'ont sortie de l'orphelinat, j'ai eu l'impression d'avoir gagné à la loterie. Je portais un jean, des mocassins et un T-shirt des Yankees, l'équipe de base-ball de New York, que j'avais obtenu en échange d'un poster de *La Vie à cinq*.

— Laisse ça, Peter. Laisse ici tout ce qui concerne son passé, dit Pamela après avoir vu de quoi se composait ma garde-robe.

Je ne sus quoi dire. Je ne possédais rien de précieux. En fait, la seule chose qui m'était chère était ce ruban d'un rose délavé que je portais lorsque ma mère m'avait abandonnée. Je le fourrai subrepticement dans ma poche.

— Notre première destination, décréta Pamela, sera Bloomingdale's.

Peter amena sa Rolls Royce devant l'orphelinat. Cette marque de voiture ne m'était pas inconnue mais c'était la première fois que j'en voyais une. La carrosserie dorée rutilait. Abasourdie, je n'osai demander si c'était bien de l'or. Une odeur de neuf régnait à l'intérieur et les sièges en cuir étaient doux et moelleux. Combien avait-elle coûté? Il m'était impossible de l'imaginer. Le nez collé aux fenêtres de l'orphelinat, quelques-uns de mes camarades nous observaient. On aurait dit des poissons rouges prisonniers de leur bocal. Je les saluai de la main et montai à bord. Lorsque nous nous éloignâmes, j'eus l'impression de décoller sur un tapis volant.

Lorsque Pamela avait annoncé un premier arrêt chez Bloomingdale's, j'avais cru à une plaisanterie; pourtant, c'est bien là que Peter nous emmena directement. Tout le personnel du magasin connaissait Pamela. Dès que nous arrivâmes au rayon des adolescents, les vendeuses se précipitèrent sur nous comme des requins. Pamela se lança dans les travées en désignant sur son passage tout ce qu'elle désirait. S'ensuivit une séance d'essayage qui dura des heures.

Assis confortablement, Pamela et Peter me regardèrent revêtir toutes sortes de tenues, robes, chemisiers, jupes, vestes, et même chapeaux. Jamais je n'avais enfilé, ni même vu, une telle quantité de vêtements. Pamela se souciait autant de la façon dont je les portais que de leur qualité. J'eus bientôt l'impression d'être un mannequin en train de défiler.

— Doucement, Brenda. Marche moins vite. Garde la tête droite et les épaules en arrière. Maintenant que tu portes des vêtements qui mettent en valeur ton physique, n'abandonne pas ton bon maintien naturel. Lorsque tu pivotes, arrête-toi une seconde. Comme ça. Tu as remonté cette jupe beaucoup trop haut sur la taille, remarqua-t-elle avec un petit rire. On dirait que tu n'as jamais mis de jupe.

— C'est vrai que je me sens plus à l'aise en jean.

— En jean! C'est ridicule. Il n'y a rien de féminin dans un jean... Je ne savais pas que les jupes avaient été autant raccourcies, cette année, dit-elle à la vendeuse qui m'aidait.

— Oh, si, Mrs. Thompson. C'est la dernière mode.

— La dernière mode? Sûrement pas! Pour la dernière mode, il faut aller à Paris. Ce que nous trouvons aujourd'hui dans nos magasins date de plusieurs mois. Ne tiens pas tes bras comme ça, Brenda. Tu es trop raide. On dirait un joueur de base-ball. N'est-ce pas, Peter?

— Oui, fit-il en riant.

Elle se mit debout pour me montrer comment marcher, tenir la tête et les bras, tourner sur place. Quelle importance cela avait-il de connaître ce genre de détails quand on essayait des vêtements? Elle devança ma question.

— Si tu ne les portes pas comme il faut, on ne peut pas dire quel effet donneront ces habits sur toi. Dans la mode, le maintien et l'équilibre sont essentiels et indissociables. Grâce à eux, tes vêtements sembleront uniques, faits exclusivement pour toi. Tu comprends?

Je fis oui de la tête. Elle sourit.

— Tu t'es bien comportée; je crois que tu mérites une récompense. Tu ne trouves pas, Peter?

— J'avais la même idée, Pamela. Que suggères-tu?

— Il faut une montre de qualité sur ce précieux petit poignet. Je pensais à l'une de ces nouvelles montres Cartier que j'ai repérées en traversant le magasin.

— Tu as tout à fait raison. Comme d'habitude, d'ailleurs, dit-il avec un petit rire.

Lorsque je vis le prix de ce que Pamela appelait une montre de qualité, je restai muette. Le vendeur me l'attacha au poignet et aussitôt j'eus l'impression que ma peau s'enflammait. J'étais terrifiée à l'idée de la perdre ou de la casser. Les diamants scintillants m'aveuglaient.

— Il suffit d'ajuster un peu le bracelet, dit Pamela en levant mon bras sous les yeux de Peter.

— Ça lui va bien, dit-il.

— Ça coûte beaucoup d'argent, murmurai-je.

Si Pamela entendit ma remarque, elle préféra ne pas la relever.

— Nous la prenons, dit Peter.

A quoi ressemblerait Noël ? Cette frénésie d'achats sans se soucier des prix me faisait tourner la tête. De quelle fortune disposaient donc mes nouveaux parents ?

Lorsque je découvris ce que Pamela et Peter appelaient leur maison, je n'en crus pas mes yeux. Cela tenait plutôt du château, comme Tara dans *Autant en emporte le vent*, ou comme la Maison Blanche. Le bâtiment était plus haut et plus large que l'orphelinat ; un perron en marbre menait à un vaste portique qu'entourait une élégante colonnade. Un porche plus petit se dressait sur le côté.

Devant la maison s'étendait une pelouse qui me parut plus grande que deux terrains de base-ball mis côte à côte. J'aperçus des fontaines et des bancs disséminés à droite et à gauche. Deux hommes, tout de blanc vêtus, désherbaient un parterre de fleurs de la taille d'une piscine olympique. D'ailleurs il y en avait une, derrière la maison, ainsi que des cabines pour se changer qui apparurent lorsque nous empruntâmes l'allée circulaire.

— Ça te plaît ? demanda Pamela.

— Il n'y a que vous deux qui habitez là ?

Ma question les fit éclater de rire.

— Nous avons des domestiques qui vivent dans

une partie de la maison, mais, oui, jusqu'à présent, il n'y avait que Peter et moi.

— Que c'est grand !

— Peter gagne bien sa vie : il est avocat d'affaires et il s'occupe aussi de politique régionale. C'est pourquoi nous avons pu t'emmener aussi vite. Et, moi, j'ai failli devenir Miss Amérique, ajouta-t-elle. J'ai été mannequin durant des années. Ce qui explique que j'en sache autant sur la mode et la beauté, conclut-elle dans un accès de modestie.

— Je crains que toutes ces nouveautés ne l'aient quelque peu accablée, intervint Peter.

— Ce n'est pas grave. Nous avons tant à faire. Le temps manque pour lui raconter nos vies à petites doses, Peter. Elle va plonger directement dans le bain, n'est-ce pas, ma chérie ?

— Oui, fis-je, toujours ébahie.

La voiture s'arrêta devant la maison. Aussitôt, la porte d'entrée s'ouvrit et un homme de grande taille en jaillit, suivi d'une jeune femme brune, vêtue d'une robe bleue et d'un tablier blanc.

— Bonjour, Sacket, dit Peter en descendant de voiture.

— Bonjour, monsieur, répondit l'homme.

Svelte malgré une cinquantaine bien tassée, il avait des petits yeux noirs perçants et un long nez qui semblait vouloir absolument rejoindre sa bouche. Son teint pâle soulignait le rouge vif de ses lèvres et d'épais favoris gris masquaient ses oreilles.

— Content de vous voir de retour, Mr. Thompson, dit-il d'une voix de basse qui, remontant du thorax, résonna comme les grandes orgues d'une cathédrale.

La jeune femme, qui ne devait avoir guère plus de trente ans, s'agitait autour de la voiture en attendant les ordres. La nature ne l'avait pas gâtée. Le nez trop petit par rapport à la bouche, la peau terne, elle ne cessait de cligner des yeux et de s'essuyer les mains sur son tablier.

— Commencez à décharger le coffre, Joline, et montez les affaires de Brenda dans sa chambre, ordonna Pamela.

— Oui, madame.

Elle me jeta un bref coup d'œil et rejoignit Sacket qui avait ouvert le coffre. Tous deux se chargèrent de mes innombrables paquets.

— Peter, est-ce que tu pourrais montrer la maison à Brenda pendant que je vais me rafraîchir un peu ? demanda Pamela. Voyager et faire des courses assèche terriblement la peau, surtout quand on traîne dans ces grands magasins climatisés, précisa-t-elle à mon intention. Et puis, il y a cette horrible poussière qui vole partout...

— Volontiers, ma chérie, dit Peter. Brenda, tu viens avec moi ?

Il leva le bras à la hauteur du mien. Je le regardai sans comprendre. Il se rapprocha et, saisissant enfin la manœuvre, je glissai mon bras sous le sien.

— Allons visiter ta nouvelle maison.

Je jetai un dernier coup d'œil sur les domestiques qui s'affairaient autour de mes paquets et sur les jardiniers qui désherbaient le parterre ; mes yeux errèrent sur la pelouse, les fleurs, les haies bien taillées et l'immensité de la propriété, et ma tête se mit à tourner comme si j'allais m'évanouir.

Ma nouvelle maison ?

Toute ma vie, j'avais vécu dans des chambres de la taille d'un placard que je devais parfois partager avec une autre orpheline. Quant à la salle de bains, elle servait aux ablutions d'au moins une douzaine de filles. Je prenais mes repas dans un réfectoire bruyant et, pour regarder une émission qui m'intéressait sur l'unique poste de l'orphelinat, il fallait livrer combat, souvent en vain. Pour protéger mon espace vital, j'avais dû montrer la hargne d'une mère ourse veillant sur ses petits.

Et voilà qu'en un clin d'œil je me retrouvais dans un palais. L'ahurissement me rendait muette. Une boule obstruait ma gorge comme si j'avais avalé une pomme entière. Je pris appui sur le bras de Peter et nous gravîmes le perron. Pamela s'était déjà engouffrée dans la maison, tant elle avait hâte d'échapper aux puissances malignes qui menaçaient sa beauté.

— Voilà, dit-il en s'effaçant pour me laisser pénétrer à l'intérieur.

Je fis quelques pas dans le vaste hall dont le carrelage me fit penser à un immense dessert de crème glacée au chocolat et à la vanille puis je tournai lentement sur moi-même. Aux murs pendaient de grands tableaux dignes d'un musée européen. Un lustre aux branches dorées nous surplombait, une tapisserie était accrochée sur un côté de la pièce et, recouvert d'un tapis blanc qui semblait aussi moelleux qu'une fourrure, un escalier semi-circulaire menait au premier étage.

— C'est une scène de *Roméo et Juliette*, dit Peter en indiquant la tapisserie. « Le bal masqué. » Tu n'as pas encore lu cette œuvre, je suppose ?

Je fis non de la tête.

— Mais tu connais l'histoire ?

— Un peu.

— Alors, qu'est-ce que tu penses de la maison ?

— Je ne sais pas quoi dire. C'est tellement grand.

Mon air ahuri le fit rire à nouveau.

— Près de huit cents mètres carrés, dit-il fièrement. Viens par ici.

Il ouvrit une porte et j'aperçus un immense salon où trônait un piano à queue blanc.

— Ni Pamela ni moi ne jouons, malheureusement. Et toi ?

Je secouai la tête.

— Eh bien, peut-être devrions-nous te faire donner des leçons. Est-ce que ça te plairait ?

— Je ne sais pas.

C'était vrai. Jamais l'idée de jouer du piano ne m'avait effleurée. De toute façon, dans un orphelinat, l'opportunité ne risquait pas de se présenter.

— Il y a sans doute beaucoup de choses dont tu vas te découvrir l'envie, remarqua-t-il d'un ton songeur. Lorsqu'une activité paraît impossible, on n'y pense tout simplement pas. Je me trompe ?

Je hochai la tête. C'était logique. Peter était intelligent. D'ailleurs, il fallait qu'il le soit pour avoir gagné de quoi s'offrir tout cela.

Le salon contenait d'autres tableaux somptueux, des meubles en marqueterie, des vases remplis de fleurs, des bibelots disposés sur toutes les surfaces planes, le tout dans un état impeccable, sans une tache ni une éraflure, et on aurait dit que jamais personne ne s'était assis sur le tissu soyeux des canapés et des fauteuils.

— Nous ne passons guère de temps ici, admit Peter comme s'il lisait dans mes pensées. C'est une pièce de réception. Nous nous tenons plutôt dans le bureau, où est installée la télévision. Maintenant que tu es là, peut-être y viendrons-nous plus souvent, pour bavarder en famille. C'est une pièce idéale pour bavarder, non ?

— Ici, j'aurais plutôt envie de chuchoter. On

dirait qu'on s'est introduit dans le château d'un personnage célèbre.

Ma remarque le fit rire.

— J'aime observer les visages de ceux qui découvrent ma maison ; ça me permet de la voir avec un regard neuf.

Nous regagnâmes le large couloir. Des miroirs dans des cadres dorés, des tableaux et des consoles avec des bouquets de fleurs se succédaient à profusion.

— Vous avez beaucoup de peintures, dis-je en m'arrêtant pour examiner un magnifique paysage.

— L'art est un bon investissement par les temps qui courent, dit Peter. On profite de la beauté en même temps qu'elle prend de la valeur. C'est plus amusant qu'une action, non ?

Je haussai les épaules. Tout ceci était de l'hébreu pour moi. Il rit de nouveau.

— Ce genre de choses n'intéresse guère non plus Pamela. Elle est de ces femmes qui veulent que la machine continue à produire mais sans s'intéresser à son fonctionnement. Ce qui est parfait, ajouta-t-il aussitôt. Je gère cette partie de notre existence et elle... eh bien, elle est belle et cela me donne l'impression d'être un type formidable. Tu vois ce que je veux dire ?

Non, je ne voyais rien. Je me contentai de sourire.

— Pamela est convaincue que tu vas devenir aussi belle qu'elle. Tu sais, elle a bien failli remporter le titre de Miss Amérique.

— Ah bon ?

— Oui, oui. D'abord, elle a été élue reine de sa promotion. Ensuite, elle a été Miss Chesapeake Bay et enfin finaliste pour l'élection de Miss Delaware, ce qui l'aurait amenée au concours de Miss Amérique. C'est la fille d'un très riche propriétaire de chevaux qui a gagné. Il y a eu une magouille, à mon avis.

Nous nous arrêtâmes à la salle à manger. Prendre un repas dans cette pièce était impossible sans domestique. La table ovale en bois sombre aurait pu accueillir tous les enfants de l'orphelinat, le personnel administratif et éducatif, les cuisiniers et leurs aides et peut-être même quelques visiteurs. Alignés le long des murs, un grand vaisselier et des vitrines exposaient des quantités de plats en argent, de verres et de carafes en cristal. Deux dessertes encadraient une grande glace murale. Je remarquai encore les chaises à hauts dossiers et les deux lustres qui éclairaient le tout.

— C'est ici que nous prenons le dîner et que nous recevons, dit Peter avec un grand geste de la main. Pamela veille à tout dans la maison. Ses parents l'ont envoyée dans une institution pour jeunes filles de bonne famille, ce genre d'école où l'on donne des cours de maintien. Elle sait tout ce qu'il y a à savoir sur l'étiquette et les bonnes manières. Elle aurait dû naître dans une famille royale. Elle aurait vraiment pu vivre dans ce milieu... Et voici le bureau, enchaîna-t-il en s'arrêtant devant une autre porte.

Un canapé et des fauteuils en cuir noir faisaient face à une télévision aussi grande qu'un écran de cinéma. De hautes fenêtres, encadrées de rideaux en velours rouge, laissaient voir la piscine et les cabines de bain. Toute une partie de la pièce était consacrée aux portraits de Pamela. Je m'en approchai.

— Regarde-la! s'écria Peter. Sur ces photos, tu la vois remporter des concours de beauté, représenter des sociétés lors de réceptions officielles, serrer la main de personnalités et d'hommes politiques importants, défiler pour présenter les modèles de grands couturiers. Et c'est comme ça que j'ai fait sa connaissance.

J'en restai bouche bée. Ma nouvelle mère connaissait tous ces gens célèbres? Peter me rejoignit.

— Impressionnant, non?

— Oui.

— Quelle chance j'ai eue de lui plaire! Elle n'arrête pas de m'étonner. Non seulement Pamela est extrêmement belle, mais en plus elle sait utiliser sa beauté... Avec elle, tu vas apprendre un tas de choses très utiles pour être une femme séduisante.

A l'entendre, Pamela et, à présent, moi — ce dont je doutais fort — étions d'une autre espèce que les autres, et cela uniquement à cause de notre aspect physique.

— Elle peut être à volonté innocente et enfantine, sophistiquée et hautaine, vive et brillante. Et elle sait d'instinct quelle attitude adopter. Peu de femmes en sont capables, les intellectuelles à lunettes qui travaillent avec moi moins que les autres, acheva-t-il d'un ton amer.

Se rendant compte qu'il devenait trop sérieux, il sourit et désigna la télévision.

— C'est un appareil ultramoderne avec Surround Sound. On a l'impression d'être entouré par la musique. Peu de gens possèdent ce modèle, la technologie est trop récente. La pièce est confortable, non?

De plus en plus ahurie par le luxe déployé dans cette demeure, je n'écoutais que d'une oreille. Il poursuivit la visite, me montra les deux cabinets de toilette du rez-de-chaussée, le quartier des domestiques, la cuisine qui me parut assez grande pour alimenter un restaurant, et la bibliothèque, une pièce sombre et seigneuriale dont les murs étaient couverts de livres reliés en cuir.

— En ce qui concerne cette pièce, j'avoue être déraisonnable. Personne n'a le droit d'y pénétrer en mon absence. Il y a trop de documents importants et de papiers personnels. On m'en faxe directement ici, expliqua-t-il en désignant un petit appareil d'où sortait une feuille imprimée. Viens, allons voir ta chambre.

A sa suite, je revins dans le vestibule et montai l'escalier. S'échappant d'une porte close, une musique allègre se répandait sur le palier.

— Pamela aime écouter des opérettes lorsqu'elle se repose dans son boudoir... Tu verras son refuge plus tard, dit-il devant mon expression de plus en plus ahurie.

Nous nous arrêtâmes devant une porte; il me jeta un coup d'œil malicieux avant de l'ouvrir. Cette fois-ci, je ne pus retenir un petit cri.

La chambre, *ma* chambre, était quatre fois plus grande que la pièce qu'on m'avait allouée à l'orphelinat et on aurait pu faire du trampoline sur le lit, tant il était spacieux! Quatre piliers et une tête de lit, drapés de tissu rose, l'encadraient. Mes yeux effarés remarquèrent encore un bureau blanc, un long meuble bas adossé à une glace et une coiffeuse sur laquelle étaient disposés un assortiment époustouflant de produits de beauté, de brosses, de flacons, de tubes, de petites boîtes, sans oublier un sèche-cheveux, des barrettes, etc.

Mes vêtements neufs avaient déjà été rangés dans trois grosses commodes et une penderie — qui était en elle-même une petite pièce dotée d'un miroir, d'une chaise et d'une table. Nous avions eu beau rapporter d'innombrables paquets, il restait de la place pour beaucoup plus d'habits.

Les fenêtres, aux rideaux blancs, donnaient sur le parc, au fond duquel scintillait un petit lac.

Peter ouvrit un placard où je découvris une télévision, puis un autre qui contenait une chaîne hi-fi.

— Nous t'achèterons quelques disques, ce week-end, promit-il. Pamela a déjà fait le planning des prochains jours et les courses en occupent une grande partie... Alors, es-tu heureuse ? demanda-t-il en mettant les poings sur les hanches.

Je hochai la tête. « Heureuse » était un euphémisme. Errant dans la pièce, j'effleurai les meubles, les rideaux, les objets luxueux pour m'assurer de leur réalité.

— C'est vraiment ma chambre ? demandai-je enfin.

Il éclata de rire.

— Bien sûr. Maintenant tu devrais te reposer un peu et prendre un bain avant le dîner, notre premier dîner ensemble. Pamela a fait préparer quelque chose de spécial. Elle est décidée à te gâter. Selon elle, une jolie femme doit être gâtée. Après tout, n'est-ce pas ce que je fais avec elle ?

On frappa à la porte et Joline passa la tête dans l'entrebâillement.

— Mrs. Thompson m'envoie demander si Miss Brenda veut que je lui prépare son bain, dit-elle.

Miss Brenda ? L'expression me surprit.

— Tu vois, dit Peter, comme Pamela prévoit toujours les choses. Alors ?

— Alors quoi ?

— Tu veux que Joline te prépare ton bain maintenant ?

Je jetai un œil dans la salle de bains étincelante et examinai la grande baignoire ronde. Les robinets étaient-ils dotés d'un dispositif ultramoderne dont j'ignorais le fonctionnement ?

— Il me semble que je peux le faire.

— Bien sûr que tu en es capable, répliqua-t-il. Mais, désormais, quelqu'un le fera pour toi. C'est ce que veut Pamela. Elle veut que tu sois exactement comme elle.

Quelque chose vibra tout au fond de moi, là où restaient enfouis mes pensées et mes rêves secrets. On aurait dit la sonnerie d'une petite alarme. Je n'en compris pas la signification.

Je pensai à mes vêtements neufs, à ma montre Cartier, au monde nouveau dans lequel je mettais les pieds, un monde de privilèges et de sécurité très éloigné de l'orphelinat.

Quel danger aurait pu me menacer ici ?

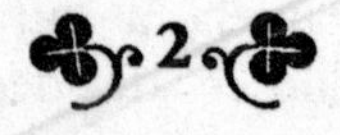

Adieu, vieilleries

Si Pamela avait demandé à Joline de préparer mon bain, c'est qu'il ne s'agissait pas seulement d'ouvrir les robinets et de surveiller le niveau de l'eau. Il fallait aussi savoir quelle huile, quels sels ajouter, et en quelle quantité. Je restai à côté d'elle tandis qu'elle dosait les différents ingrédients avec la précision d'une chimiste.

— Qu'est-ce que c'est que tout ça? demandai-je.

— C'est ce qui aidera votre peau à rester douce et soyeuse et vous empêchera de vieillir.

— Vieillir? Je ne crois pas que j'ai à m'en soucier. Je n'ai même pas treize ans.

Elle sourit comme si j'avais proféré une ânerie et ouvrit en grand les robinets. Puis elle sortit du placard deux épaisses serviettes de toilette, une robe de chambre et des pantoufles.

— Avez-vous besoin d'autre chose? demanda-t-elle.

— Non.

Que désirer de plus? Je n'en avais aucune idée.

— Alors profitez bien de votre bain, dit-elle en partant.

Profiter de mon bain? Je baissai les yeux sur la baignoire. A l'orphelinat, nous nous contentions de douches rapides et, si nous prenions un bain, c'était pour en sortir aussitôt. Il y avait toujours une foule impatiente qui piaffait derrière la porte. Qu'étais-je censée faire de cette baignoire, à part m'y laver et en sortir?

J'ôtai mes vêtements et les pliai soigneusement sur le comptoir à côté des lavabos. Ils avaient beau être vieux et usagés, leur présence dans cette salle de bains digne d'une princesse exigeait qu'on les traite avec respect. J'avais deux lavabos, remarquai-je soudain. Pourquoi deux lavabos pour une seule chambre, et qu'est-ce que c'était que cette vasque posée sur le sol à côté des toilettes?

Le carrelage en marbre était froid sous les pieds. Je coupai l'eau. Les bulles montaient si haut qu'elles menaçaient de déborder. J'entrai dans la baignoire et m'y allongeai précautionneusement. Joline avait réglé l'eau à la température idéale, ni trop chaude ni trop froide. C'était délicieux et l'image que renvoyait le panneau de miroirs me fit rire : une tête au regard ébahi, émergeant tout juste d'une mer de mousse.

A la place d'un gant de toilette, je trouvai une éponge fixée sur un manche. Après m'être lavée rapidement, je restai confortablement à demi allongée, la tête calée sur un coussin spécial fixé à la baignoire. L'eau savonneuse clapotait gentiment autour de moi.

Etait-il possible que les contes de fées deviennent vrais? Cendrillon avait-elle été plus heureuse?

— Parfait, dit Pamela en entrant dans la salle de bains.

Elle avait drapé une serviette autour de ses cheveux et portait une longue robe de chambre en soie rouge dont le devant était orné de caractères japonais. Ses joues et son front étaient recouverts d'une étrange boue blanchâtre. Par politesse, je m'efforçai de ne pas la dévisager.

— Comment est ce bain? demanda-t-elle.

— Très agréable.

— Joline a mis trop de sels, à ce que je vois, mais ça ne fait rien. Toi et moi, nous sommes nées pour être gâtées. Trop longtemps, on t'a privée des plaisirs de la vie, mais c'est fini, déclara-t-elle avec assurance. Peter m'a dit que tu aimes ta nouvelle maison.

— C'est un palais.

— Pourquoi pas? fit-elle en riant. Nous sommes des princesses, non? Tu ne veux pas essayer le Jacuzzi?

— Le quoi?

Elle s'inclina pour appuyer sur un bouton en

cuivre et soudain l'eau se mit à circuler en courants chauds qui me frappèrent les jambes et le dos. Je poussai des cris de joie qui la firent rire. Les bulles montèrent de plus en plus haut et je dus les écarter pour apercevoir Pamela, assise sur le tabouret. Elle appuya de nouveau sur le bouton et l'eau se calma.

— Il faut que je dise à Joline de mettre moins de sels demain soir.

— Demain soir?

Je prendrais donc un bain comme celui-ci tous les soirs?

— Demain soir, après-demain soir, tous les jours. Il est indispensable de se nettoyer à fond les pores de la peau afin de les débarrasser des poisons qui s'y sont insinués durant la journée. Ces sels et ces huiles, dit-elle en désignant les produits que Joline avait versés abondamment dans la baignoire, ont été choisis avec soin par des spécialistes. Pour entretenir ma peau, je consulte le meilleur dermatologue du pays. Il n'est pas question que tu souffres de ces multiples petites rougeurs et imperfections dont les adolescents se couvrent, affirma-t-elle avec une telle hargne que mon cœur se serra. Pas ma fille, pas la fille de Pamela Thompson.

Elle écarta un paquet de bulles et examina mes cheveux.

— Il y a du travail à faire, dit-elle en tâtant les mèches humides. On dirait de la paille, au lieu de la soie, et ils manquent de vigueur. Je vais te faire ton shampooing.

Elle se leva et alla tripoter quelques-uns des flacons alignés sur le comptoir.

— On va commencer par celui-ci. Mouille-toi la tête.

Je plongeai la tête sous l'eau et la remontai. Elle

versa le shampooing et commença à me frotter les cheveux. Ses ongles longs me griffaient le crâne. A plusieurs reprises, elle me fit mal mais je serrai les dents. Son travail achevé, elle me demanda de me rincer. A ma grande surprise, ses mains accompagnèrent ma tête et continuèrent à la masser tout en la maintenant fermement sous l'eau. Les poumons en feu, j'émergeai au bord de l'asphyxie.

Elle ouvrit le robinet de la douche et me rinça à nouveau. Puis elle alla choisir une lotion dont elle me frictionna le crâne en me demandant de la garder un instant.

— C'est la première fois que je passe autant de temps à me laver les cheveux, avouai-je.

Cette opération exigeait beaucoup de travail et je ne comprenais pas en quoi il était important que mes cheveux ressemblent à de la soie plutôt qu'à de la paille. Question que je gardai pour moi.

— Désormais, tu dois te laver les cheveux tous les jours. Même si tu es malade. Il ne faut pas considérer la beauté comme un dû, Brenda. As-tu déjà entendu parler d'antitoxines ?

Je fis non de la tête.

— Ce sont les toxines qui nous font vieillir mais il existe des antitoxines pour les combattre et nous empêcher de prendre de l'âge trop vite. Je suis fermement décidée à ne jamais paraître mon âge, quitte à recourir à la chirurgie esthétique. Je sais ce que tu penses, dit-elle avant même que j'aie émis un son. Tu penses que j'ai déjà fait appel à la chirurgie esthétique, n'est-ce pas ?

Je secouai la tête avec perplexité.

— Sinon comment pourrais-je ressembler à une adolescente ou à une jeune femme de vingt ans, hein ? Je te le demande.

— Je ne sais même pas ce qu'est la chirurgie esthétique, avouai-je.

N'écoutant pas, elle poursuivit :

— La chirurgie esthétique, c'est le dernier recours, poursuivit-elle d'un ton docte. C'est pour les paresseuses. Si on surveille son régime, si on fait un peu d'exercice et si on nourrit sa peau comme je vais t'apprendre à le faire, il n'y a pas de raison de faire appel au scalpel.

— Je peux sortir de là, maintenant ?

Cela m'ennuyait de l'interrompre mais l'eau refroidissait.

— Comment ?

— Je peux sortir de la baignoire ?

— Oh... il faut d'abord te rincer les cheveux, dit-elle en s'emparant de la pomme de douche. Maintenant, tu es capable de faire ça toute seule et, si tu es trop fatiguée, demande à Joline de t'aider.

— C'est la première fois qu'on me lave les cheveux mais j'imagine qu'on l'a fait quand j'étais bébé.

— On est toujours un bébé quand il s'agit de se faire dorloter, surtout par les hommes... A propos, ne les laisse jamais, au grand jamais, croire qu'ils t'ont fait plaisir, conseilla-t-elle abruptement.

— Pourquoi ?

— Ils croiront qu'ils en ont fait assez. Ce qui est faux. Ils n'en feront jamais assez. Voilà notre devise, à nous autres, jolies femmes. Bon, ça va, tu peux sortir.

J'enjambai le rebord de la baignoire.

— C'est ce que je pensais. Tu as une petite silhouette fine, sans un gramme de graisse. Pourtant, reprit-elle en examinant mon corps sans me tendre ma serviette, tu es un peu plus musclée que je ne le croyais. Attention, nous ne voulons pas de membres trop durs.

Ses doigts me pincèrent la cuisse sans ménagement.

— Les hommes aiment les femmes vraiment femmes.

Elle consentit enfin à me donner la serviette et, gênée par son regard insistant, je m'essuyai rapidement. Le tas de mes vieux vêtements attira son attention.

— Tu ne mets pas de soutien-gorge?

— Non.

— Tes seins sont en train de se former. Il n'est jamais trop tôt pour les empêcher de tomber. Dès demain, nous irons t'acheter d'autres sous-vêtements. Assieds-toi là, je vais te sécher et te brosser les cheveux.

— Merci.

Drapée dans la serviette, je pris place sur le tabouret. Elle mit en marche le sèche-cheveux et passa la brosse dans ma chevelure.

— C'est agréable de s'occuper de quelqu'un d'autre. J'ai l'impression de recommencer de zéro. Bien sûr, je ne pourrais pas le faire avec n'importe qui. Il me fallait une jeune fille pleine de promesses. Mais je suis un peu surprise par la largeur de tes épaules.

— Mes épaules?

— Qu'est-ce que tu as fait pour les rendre aussi... masculines? Tu ne t'amuses pas à soulever des haltères, quand même?

Je fis non de la tête. En quoi avoir des épaules musclées était-il un défaut?

— Bon, je suppose que c'est arrivé comme ça et, avec des hormones, on pourra y remédier. En tout cas, on peut intervenir.

— On peut quoi ?

— Rendre tes hormones féminines plus efficaces. J'ai des comprimés pour ça, des suppléments alimentaires que mon diététicien m'a donnés. Je t'en parlerai. Oh, il y a tant à faire ! C'est amusant, non ? Tâte tes cheveux, maintenant. Tu ne les trouves pas plus doux ?

Je plongeai la main dans ma tignasse et acquiesçai.

— Tu vas concourir plus vite que tu ne le penses.

— Concourir ?

— Pour les prix de beauté. Je vais peut-être même t'inscrire dès cette année au concours Miss Ado, de New York. Oui, c'est ce que je vais faire, décida-t-elle. Et c'est toi qui l'emporteras. Imagine un peu ce qu'écriront les journalistes !

Elle recula d'un pas. Son regard s'éclairait tandis qu'elle pensait aux gros titres.

— « La fille de Pamela Thompson, élue Miss Ado de New York. » J'adore !

Je la regardai dans le miroir. Elle avait manifestement quitté la salle de bains pour un grand salon où défilaient une ribambelle de jeunes filles. Mes yeux se posèrent sur la vasque en porcelaine dont j'ignorais l'usage.

— Qu'est-ce que c'est ?

— Comment ? Oh, c'est un bidet. Tu ne sais pas à quoi ça sert ? Pauvre petite. C'est pour laver nos parties intimes. Ça aussi, tu dois le faire tous les jours. Les femmes ne se rendent pas toujours compte de leurs... odeurs.

J'écarquillai les yeux sur l'étrange petit meuble.

— Ce n'est pas désagréable, d'ailleurs, dit-elle en riant. Les hommes aiment que nous soyons très propres et très saines à cet endroit-là. Je parie que tu sais tout ce qu'il y a à savoir sur ce sujet, non? demanda-t-elle avec circonspection.

— Non, pas vraiment.

— Pas vraiment? répéta-t-elle en me dévisageant. Tu es vierge?

— Heu, oui, balbutiai-je, stupéfaite qu'elle ait posé la question.

— Rester vierge jusqu'à ce que tu remportes ton premier grand concours, quelle merveilleuse idée! Tu dois promettre de ne pas te donner à n'importe qui, Brenda. Le sexe, c'est notre trésor. Tu dois le garder avec la férocité d'un dragon protégeant une merveille, tu entends? Nous en reparlerons. C'est à ça que servent les mères. Et je suis une mère.

Elle s'arrêta de me brosser les cheveux et s'examina dans la glace.

— Qui, à part un malade mental, pourrait me juger assez âgée pour être mère?

Elle pouffa de rire. Son regard tomba de nouveau sur mes vêtements.

— On va se débarrasser de tout ça. C'est dommage que tu les aies apportés là.

— Comment?

Elle souleva mon T-shirt et mon jean du bout des doigts comme s'ils étaient infectés.

— Beurk... Ils ont gardé l'odeur de cet horrible endroit. Je déteste les filles en jean, de toute façon.

Elle sortit d'un tiroir une paire de ciseaux et, avant que j'aie pu protester, entailla le fond du pantalon. Puis elle tira sur les deux morceaux qu'elle jeta, avec le T-shirt, sur le carrelage.

— N'y touche plus. Joline les mettra à la poubelle.

Elle se lava les mains comme si elle avait touché

des vêtements contaminés et, sans tenir compte de mon air scandalisé, me sourit.

— Il est temps de choisir ce que tu vas mettre pour le dîner. Nous devons être très belles toutes les deux quand nous rejoindrons Peter dans la salle à manger. Il doit en avoir le souffle coupé. Désormais, chaque fois que nous entrerons ensemble dans une pièce, il faut que nous captivions le public. C'est ce pour quoi nous avons été mises au monde.

Avant de la suivre dans ma chambre, je fouillai les poches de mon jean et en retirai le ruban rose qui, grâce au ciel, n'avait pas souffert du coup de ciseaux. Je le gardai dans la main et profitai du moment où elle examinait mes vêtements pour le glisser dans un tiroir.

— Non, non, non. Ça, oui, peut-être, marmonnait-elle.

Elle sortit de la penderie une robe bleue qu'elle me tendit.

— Essaie-la.

Pourquoi devais-je encore l'essayer ? Elle l'avait vue sur moi dans le magasin et savait comment elle m'allait.

— Tu ne crois pas que tu devrais mettre une culotte d'abord ? demanda-t-elle avec un sourire amusé comme je m'apprêtais à enfiler la robe.

Honteuse de ma gaucherie, j'acquiesçai et en mis une. Puis je passai la tête dans la robe et tirai dessus. Un peu trop ajustée, à mon goût, elle avait de larges bretelles et un décolleté en U. Je me campai devant Pamela qui fit la grimace.

— Je ne comprends pas comment cela a pu m'échapper mais tes épaules et tes bras sont tellement...

— Tellement quoi ?

— Masculins, répéta-t-elle. Il faut que j'en parle à mon médecin. Il doit y avoir un moyen de te donner un aspect plus doux. Tu constates maintenant comme les vêtements sont vivants, non ?

Je secouai la tête sans comprendre.

— Selon l'environnement, ils revêtent une personnalité différente. Là-bas, dans le magasin, l'éclairage cru estompait les couleurs. Ici, dans un décor plus douillet, dans une chambre ou une salle à manger, les habits ont une allure différente. Je n'aurais pas dû acheter cette robe, conclut-elle. Désormais, je demanderai qu'on nous livre un choix de vêtements pour procéder ici aux essayages.

— Qu'on les apporte ici ? Vous voulez dire, dans ma chambre ?

— Bien sûr. Nous avons agi avec trop de précipitation... mais ce n'est pas grave. Nous en achèterons d'autres, c'est tout. Tu sais te maquiller ?

— De temps en temps, je me mets un peu de rouge à lèvres.

— Un peu de rouge à lèvres ? répéta-t-elle en s'esclaffant. Tu parles d'un maquillage ! Assieds-toi devant la coiffeuse. Dépêche-toi. Il faut encore que je me coiffe et que je me maquille, moi aussi.

Pourquoi tant de tralala pour le dîner ? On attendait des invités ?

Je m'assis tandis qu'elle allumait la lampe du miroir grossissant. La lumière effaça les ombres de mon visage. Prenant mes joues entre ses mains, elle me fit tourner la tête d'un côté et de l'autre tout en examinant mon profil.

— Maintenant que je te regarde en pleine lumière, je vois comment rendre ton nez plus petit. Je vais souligner tes yeux et épaissir un peu le contour de tes lèvres.

Elle se mit au travail comme s'il s'agissait de me préparer pour un grand bal. J'observais sur ma figure les expressions de surprise, d'ennui, d'inquiétude qui s'y succédaient malgré moi. Je n'avais jamais su cacher mes sentiments. Si quelque chose me paraissait stupide, les commissures de mes lèvres se retroussaient en une grimace révélatrice. Mrs. Carden, l'une de mes institutrices, prétendait que mon front était un tableau noir sur lequel mes pensées s'inscrivaient en lettres blanches et nettes. Apparemment, Pamela ne savait pas lire.

— Chaque fois que tu quitteras cette chambre, et surtout quand tu devras sortir de la maison, me sermonnait-elle, dis-toi que tu montes sur scène. Une femme, une vraie femme, est toujours en représentation. Chaque homme qui te regarde est ton public. Que cela nous plaise ou non, nous attirons leurs regards ; leurs yeux se fixent sur nos visages et nos corps comme de petits projecteurs. Et même si tu es mariée depuis des années, ou que tu sors avec le même prétendant depuis des mois, tu dois continuer à le surprendre par ta beauté et ton élégance. Tu comprends ?

— Pourquoi ?

— Pourquoi !

Elle s'arrêta de travailler et planta ses poings sur ses hanches.

— Pourquoi ? Parce que, sinon, ils regarderont ailleurs et parce que nous voulons rester au centre de leur attention. Attends, poursuivit-elle en se remettant à l'œuvre, attends seulement de mettre le nez dehors, d'avoir à te battre. Tu verras. Quand il s'agit de gagner l'amour des hommes, on se retrouve dans un monde impitoyable, un vrai coupe-gorge. Chaque femme, qu'elle le veuille ou non, rivalise avec toutes les autres. Lorsque j'entre dans une pièce, qui me regarde en premier, à ton avis? Les hommes? Non. Ce sont leurs femmes qui m'examinent et se mettent à trembler. J'ai l'impression, conclut-elle, que je t'ai dénichée juste à temps. Tu es encore assez jeune pour prendre de bonnes habitudes. Presse les lèvres l'une contre l'autre. Voilà. Regarde-toi, maintenant.

Elle tourna ma tête de façon que la glace me renvoie mon profil.

— Tu vois la différence? Quand tu es arrivée ici, tu n'étais qu'une enfant, et maintenant tu ressembles à une jeune femme, ce que je vais t'aider à devenir.

Je découvris mon nouveau visage. Les yeux cernés d'eye-liner, les joues et les lèvres barbouillées de rouge, le reste recouvert d'une pâte opaque, j'avais l'air d'être devenue quelqu'un d'autre. Le résultat, plutôt clownesque, me laissa perplexe. Je gardai le silence et mon front recouvert de fond de teint ne laissa rien paraître de ma désapprobation.

— Surtout ne crois pas que tu peux obtenir un teint pareil en t'exposant au soleil, Brenda. Le soleil et ses horribles rayons ultraviolets ont un effet dramatique sur la peau; ils la vieillissent, la tachent et, grâce au maquillage, on n'en a pas besoin. Voilà, tu es prête. Viens me faire la conversation pendant que je me prépare à mon tour.

Je me levai et la suivis.

— Attends! s'écria-t-elle d'une voix dure que je ne lui connaissais pas encore. Tu n'avais pas l'intention de te promener *pieds nus,* j'espère?

A son intonation, cela sonnait comme un péché.

— Comment? Oh! fis-je en baissant les yeux.

— Va mettre les chaussures assorties à la robe, ordonna-t-elle sèchement.

Je retournai dans la penderie et examinai la douzaine de paires qui s'offrait à mon choix.

— La deuxième paire à partir de la droite! s'écria-t-elle avec impatience. Tu en as des choses à apprendre! Heureusement que je suis venue te chercher.

J'enfilai les chaussures et la suivis, non sans jeter au passage un coup d'œil dans la salle de bains où gisaient mon jean déchiré et mon T-shirt. Adieu, chers amis, pensai-je, adieu, passé. Vêtue de cette robe luxueuse, coiffée et maquillée outrageusement, j'avais la désagréable impression d'avoir trahi quelqu'un. Mais qui donc, sinon moi?

— Viens, s'impatienta-t-elle. Peter est déjà en bas. Bien sûr, il faut toujours faire attendre les hommes. C'est une règle d'or. Ne sois jamais à l'heure et surtout pas en avance. Plus on les fait attendre, plus ils ont hâte de nous voir apparaître et plus leurs regards se font admiratifs. Mais dépêche-toi un peu, quand même. Il me faut le temps de me rendre plus belle, moi aussi.

Je me hâtai à sa suite. Lorsqu'elle ouvrit la double porte qui menait à sa chambre, le souffle me manqua comme si une énorme bulle de savon se coinçait dans ma gorge. Ce n'était pas une chambre mais un appartement privé.

Au bout d'un long palier recouvert d'un tapis moelleux, deux marches s'élevaient, menant d'un côté à un salon avec télévision et, de l'autre, à une chambre digne d'une reine. La pièce était ronde et munie d'une cheminée en marbre; mais ce qui me frappa le plus, ce fut le lit, rond lui aussi, sur lequel s'empilaient d'énormes oreillers. Le plafond et les murs n'étaient que miroirs. J'écarquillai les yeux.

Ma stupéfaction fit rire Pamela.

— Tu comprends peut-être maintenant ce que je voulais dire lorsque je parlais de monter sur scène, lorsque je t'expliquais que nous sommes perpétuellement en représentation ?

Elle baissa les yeux sur le lit puis les leva sur le plafond.

— Tu sais quel effet ça fait ? demanda-t-elle d'une voix vibrante.

Je fis non de la tête.

— Ça fait l'effet d'être dans un film, et tu sais quoi ?

J'attendis en retenant mon souffle.

— La star, c'est toujours nous.

Sur ce, elle éclata de rire.

3

Le monde n'est qu'une scène

Pamela tira une chaise pour que je m'installe à côté d'elle devant sa coiffeuse. Ce meuble avait été conçu de façon que les miroirs suivent la courbe du mur et permettent à Pamela de s'examiner de profil sans bouger la tête. Il était essentiel, expliqua-t-elle, qu'elle puisse vérifier son apparence sous tous les angles.

— Lorsqu'ils remarquent combien je suis belle de dos, ils meurent d'envie de voir mon visage.

La tête rigide, elle me parlait en me regardant dans la glace. Comme si nous faisions la conversation par la fenêtre, de part et d'autre d'une rue.

— En règle générale, appelle-moi Pamela, dit-elle. C'est charmant d'avoir une fille et je veux qu'on sache que je suis ta mère, mais je préfère que les gens pensent à nous comme à deux sœurs, pas toi ?

Je hochai la tête, sans conviction. J'avais eu des amies à l'orphelinat, des filles qui me ressemblaient tant qu'on aurait pu être sœurs. Nous échangions nos vêtements, apprenions nos leçons ensemble et parfois nous discutions des garçons et des autres filles de l'école qui nous snobaient à cause de notre statut d'orpheline. Ensemble, nous luttions ; ensemble, nous souffrions. Pour la première fois, je pensai à la vie que j'avais quittée et découvris avec surprise qu'elle allait me manquer.

Mais ce dont j'avais été privée, c'était de quelqu'un de plus âgé, une sœur aînée ou, mieux, une mère, vers qui me tourner, non pour me plaindre mais pour l'interroger. Pour lui poser les questions intimes que je n'osais poser à mes éducateurs et à mes professeurs. Etre définitivement privée d'une telle présence accentuait mon sentiment de solitude ; je me retrouvais livrée pour toujours au seul écho de mes pensées.

— Les femmes qui ont très jeunes leurs enfants se mettent à ressembler à des matrones dès leur trentième année. C'est une question d'attitude, Brenda. De mentalité, je dirais même. Ce qu'on pense de soi-même agit directement sur l'apparence. Si tu te crois vieille, tu parais vieille. Eh bien, moi, je me vois devenir au fil des ans encore plus belle, plus jeune, plus fraîche.

Elle sourit à son image puis, croisant mon regard, reprit :

— Ne crois pas que je n'ai pas voulu d'enfants.

Mais tant que je me présentais à des concours et que je défilais pour de grands couturiers, ce n'était tout simplement pas possible. Avoir des enfants modifie complètement la silhouette. A présent, j'ai gardé ma silhouette *et* j'ai une fille.

Elle prit une éponge humide et essuya la fine couche de boue brune dont elle s'était recouvert le visage. Puis elle examina attentivement le résultat de ses efforts. Soudain elle s'inclina vers le miroir et son index alla se poser sur sa joue. Je m'inquiétai. Qu'avait-elle vu ? Une piqûre de moustique ? Elle effleura doucement une minuscule portion de peau et se tourna vers moi.

— Tu ne vois pas une petite rougeur, là ?

— Non.

Elle revint à son image qu'elle étudia à nouveau puis hocha la tête.

— Un œil non exercé ne peut le voir mais il y a une petite zone sèche... C'est toujours la même chose, se lamenta-t-elle. Chaque fois que je quitte la maison, je rentre avec un problème.

Son regard se promena sur la rangée de fioles, boîtes, flacons contenant toutes sortes de crèmes et de lotions. Elle s'empara d'un petit pot et, découvrant qu'il était vide, leva les yeux au ciel.

— Cette fille est horripilante ! Combien de fois lui ai-je dit de vérifier tous les jours s'il ne manquait rien et de remplacer immédiatement ce qui était vide ou presque vide ?

Elle se leva et alla ouvrir un placard sur sa droite. Des rayonnages entiers offraient un choix de produits cosmétiques digne d'une parfumerie. Elle prit un petit pot et revint s'asseoir à la coiffeuse.

— C'est un mélange d'herbes très spécial qui reconstitue les huiles naturelles du corps, expliqua-t-elle en plongeant le doigt dans le récipient.

Puis elle se barbouilla les joues d'une pâte visqueuse qu'elle fit pénétrer lentement dans sa peau. Elle attendit une minute avant de s'essuyer le visage.

— Voilà, dit-elle. Tu vois la différence?

Je n'en vis aucune mais jugeai sage d'acquiescer d'un hochement de tête.

— Selon mon dermatologue, la peau est très sensible aux changements atmosphériques. Il faisait très chaud dans l'orphelinat et ensuite nous sommes allés dans ce grand magasin climatisé. Mais ils ne filtrent pas l'air suffisamment et une multitude de particules flottent, viennent se coller sur la peau et l'attaquent... Rassure-toi, l'eau de cette maison est filtrée et adoucie. Tous les minéraux agressifs en sont ôtés si bien que tu peux te baigner et te doucher sans crainte.

Jamais l'idée de redouter ce genre de choses ne me serait venue à l'esprit, de toute façon.

— Pareil pour le climatiseur et le chauffage. Tout est filtré, reprit-elle. Chez les autres gens, l'air est plein de poussière. Parfois, quand nous sommes invités, même chez les clients les plus fortunés de Peter, j'ai envie de porter un masque chirurgical. Les pauvres, ils ignorent tout des nécessités de la beauté... à moins qu'ils ne s'en moquent.

Lorsqu'elle prit sa brosse à cheveux, une nouvelle déception la fit soupirer.

— Il y a de nouveau des fourches aux extrémités. J'ai pourtant dit à mon coiffeur qu'il ne les coupait pas assez... Zut, fit-elle soudain. Tu vois ça?

Son doigt se porta sous l'œil droit.

— Chaque fois que j'ai un souci, cette ride apparaît. Là. Tu vois?

Un pli minuscule se distinguait à peine sous son œil, mais appeler cela une ride me parut excessif.

Elle inspira profondément, ferma les yeux et se pétrifia. J'attendis. Au bout de quelques minutes, elle rouvrit les yeux.

— L'anxiété, l'exaspération, les soucis, le stress accélèrent le processus du vieillissement. Mon professeur de méditation m'a appris comment m'en défendre. On psalmodie dans sa tête que tout va bien et qu'il n'y a aucune raison de s'inquiéter. Il faut se concentrer et, parfois, c'est très difficile.

Elle me regarda soudain.

— Tu ne devrais pas cligner des yeux comme ça, Brenda. Regarde, ton front se plisse. Il n'est jamais trop tôt pour y penser. Tu as besoin de lunettes?

— Je ne crois pas.

— En tout cas, si tu en as besoin, ne t'inquiète pas. Nous te ferons faire d'excellentes lentilles. Les mêmes que Peter.

— Il en porte?

— Oui, mais ça ne se voit pas du tout. C'est un bel homme, ton nouveau père, non? demanda-t-elle avec fierté. Je ne l'ai pas seulement épousé pour l'argent et la position sociale. Je voulais un homme qui soit beau.

— Oui, il est beau.

— Et c'est un bon amant, très attentionné. Par exemple, il n'aurait pas l'idée de m'embrasser sans s'être d'abord rasé. La barbe peut causer des catastrophes sur la peau d'une femme. Un homme égoïste ne se soucie que de satisfaire ses sens. On se sent utilisée. Moi, je n'appartiens à personne. Je ne suis le jouet de personne, affirma-t-elle avec emportement comme pour se défendre d'une accusation injustifiée.

Lorsque la colère animait son visage, ses narines s'épataient et de petites flammes s'allumaient dans ses yeux.

Elle s'interrompit et m'examina à nouveau.

— Que sais-tu exactement de la sexualité ? Je sais que tu es vierge. Tu me l'as dit et je te crois. J'espère que nous ne nous mentirons jamais, ajouta-t-elle avec fermeté. Alors, dis-moi. Jusqu'où es-tu allée ? As-tu déjà eu un petit ami ?

Ses questions fusaient comme des balles.

— Non.

Une expression d'incrédulité envahit son visage.

— D'après ce que j'ai vu de cet orphelinat, vous viviez tous un peu les uns sur les autres, entre garçons et filles. Et il n'y avait guère de surveillance, non ? Je veux dire, il devait y avoir des tas d'occasions de flirter. Tu peux être franche avec moi, Brenda. Je suis ta mère..., ou ton mentor, plutôt, s'empressa-t-elle de rectifier.

— Je n'ai jamais eu de petit ami. Vraiment.

— Mais tu es au courant, non ? Tu sais ce qu'ils veulent, ce qu'ils cherchent toujours, quelles que soient leurs promesses et la façon dont ils se comportent au début. Les hommes ne voient en nous qu'une seule chose, qu'on soit la reine de la promotion ou un membre de la Cour suprême, Brenda. Tu sais quelle chose ?

Je fis non de la tête.

— Un réceptacle de plaisir dans lequel plonger.

Elle revint à son maquillage.

— Tout ce qu'ils veulent, c'est satisfaire leur petit télescope, marmonna-t-elle.

— Leur quoi ?

— Télescope, répéta-t-elle en riant. Ne me dis pas que tu n'en as jamais vu.

— Si, j'en ai vu, répondis-je en me souvenant de plusieurs occasions où j'avais aperçu l'un ou l'autre des garçons dans la salle de bains.

— Alors tu sais que ça s'allonge comme un télescope lorsqu'ils sont excités. Du moins, c'est à ça que ça me fait penser… Oh, s'écria-t-elle d'un ton guilleret, comme ça va être amusant de tout redécouvrir grâce à toi ! C'est pourquoi, reprit-elle en retrouvant un air sérieux, il est essentiel que tu fasses tout ce que je te dis, afin que tu profites de mes connaissances, surtout en ce qui concerne les hommes. Qu'y a-t-il de plus important, d'ailleurs ?

Haussant les épaules, elle jeta un regard satisfait sur le luxe qui l'entourait.

— Ce sont mes connaissances dans ce domaine qui m'ont permis de posséder tout ça. Et, ajouta-t-elle en dardant sur moi un regard qui m'effraya par son intensité, avec mon aide, toi aussi, tu auras tout.

Peter nous attendait patiemment dans la salle à manger. Dès qu'il nous vit entrer, il se leva et son visage s'éclaira.

— Tu fais des merveilles, Pamela, déclara-t-il. Regarde-la. C'est toi en plus jeune.

L'expression satisfaite de Pamela s'effaça instantanément.

— Pas beaucoup plus jeune, Peter, corrigea-t-elle d'un ton glacial.

— Non, non, bien sûr que non ! s'écria-t-il. Je voulais seulement dire qu'en quelques heures tu as transformé une petite fille en jeune femme.

Il lui tira sa chaise et elle s'assit. Puis il me fit asseoir en face de Pamela et prit place entre nous. L'espace vide autour de cette table immense me mit mal à l'aise.

— J'ai beaucoup de choses à lui enseigner, dit Pamela.

— C'est ce que je lui ai dit et je lui ai dit aussi qu'on ne pouvait trouver meilleur professeur que toi. N'est-ce pas, Brenda?

Je hochai la tête. Rassérénée, Pamela sourit. Une musique mélodieuse et apaisante sortait de je ne savais où. Sacket déposa à côté de Peter une bouteille de champagne plantée dans un seau à glace.

— Tu as déjà bu du champagne, Brenda? demanda Peter.

— Non, mais un jour j'ai pris une gorgée de bière.

Il rit franchement. Les lèvres de Pamela esquissèrent un petit sourire. Elle maîtrisait ses expressions avec la dextérité d'un chef d'orchestre et ses traits se mouvaient indépendamment les uns des autres sans compromettre l'harmonie de l'ensemble.

Peter remercia Sacket d'un hochement de tête. Le domestique me versa autant de champagne qu'à mes nouveaux parents puis il remit la bouteille dans le seau et sortit. Peter leva lentement sa coupe.

— Portons un toast, Pamela.

— Oui.

— A notre nouvelle fille, notre nouvelle famille et aux deux belles femmes de ma vie, dit-il.

Nous entrechoquâmes nos verres. N'ayant vu cela qu'au cinéma, j'étais dans tous mes états. J'avalai une trop généreuse gorgée et me mis à tousser.

— Tu en as trop pris d'un coup, remarqua Pamela. Contente-toi de tremper les lèvres et de n'aspirer qu'une toute petite quantité. Tous tes gestes doivent êtres féminins, c'est-à-dire délicats et gracieux.

Je pris ma serviette et m'essuyai la bouche.

— Non, non, non, protesta Pamela. Tu dois te tamponner les lèvres. Tu n'es pas attablée à un stand de hot dogs et, même si c'était le cas, tu ne devrais pas faire ça. C'est trop masculin, trop grossier.

Elle secoua la tête comme pour en chasser une impression déplaisante.

— Vas-y. Recommence. Je veux te voir le faire comme il faut. C'est ça, approuva-t-elle tandis que je tamponnais délicatement mes lèvres. Parfait. Tu vois ? fit-elle en quêtant l'approbation de Peter.

— Oui. Elle va s'en tirer parfaitement. Alors, tu aimes le champagne ? me demanda-t-il.

— Je pensais que c'était plus sucré.

— Ce n'est pas du Coca-Cola, dit Pamela. D'ailleurs, le sucre est mauvais pour le teint. Tu constateras qu'il n'y a jamais de sucreries dans cette maison et, les rares fois où nous prenons un dessert, c'est toujours quelque chose de très léger. En général, nous faisons attention aux calories mais aujourd'hui n'est pas un jour comme les autres, aussi allons-nous nous permettre quelques fantaisies.

Joline apporta la salade. Ne sachant laquelle de mes trois fourchettes utiliser, j'attendis que Pamela commence à manger. Peter remarqua avec quelle attention j'observais leurs gestes.

— Chaque instant de ta vie dans cette maison sera une expérience instructive, dit-il en souriant. Contente-toi de suivre les conseils de Pamela et tu t'en tireras très bien.

La salade fut suivie de queues de homard déjà décortiquées. Sacket apporta du vin dont on me servit un verre. Tout était délicieux. Le dessert portait le nom de crème brûlée. C'était la première fois que j'y goûtais et je trouvai cela merveilleux. D'ailleurs, tout était merveilleux.

Le dîner fini, nous allâmes bavarder dans le bureau. Pamela me parut un peu nerveuse. Après s'être tortillée deux ou trois minutes dans son fauteuil, elle s'excusa et monta à l'étage. Je m'inquiétai à son sujet et, lorsque Peter dut répondre au téléphone, je décidai d'aller voir si elle avait besoin d'aide. Je montai l'escalier et frappai à sa porte. Elle ne répondit pas mais les bruits qui me parvenaient ressemblaient fort à des vomissements. J'ouvris la porte et passai la tête.

— Pamela ? Ça ne va pas ?

Les bruits se firent plus violents puis s'arrêtèrent d'un coup. J'entendis ensuite de l'eau couler en abondance et, deux minutes plus tard, Pamela sortit de la salle de bains. Son visage était écarlate.

— Ça ne va pas ? répétai-je.

— Qu'est-ce qu'il y a ?

— J'ai cru que vous étiez malade.

— Je vais très bien. C'est Peter qui t'a envoyée ?

— Non.

— Je vais très bien, insista-t-elle. Redescends et profite de cette première soirée ici. J'arrive tout de suite. Va vite.

Je refermai doucement la porte et m'éloignai.

Pourquoi avait-elle honte d'être malade ? me demandai-je.

Quelques minutes plus tard, elle nous rejoignit au bureau, aussi belle et élégante que lorsqu'elle était descendue pour dîner. Elle n'était manifestement pas malade. Et d'ailleurs, Peter ne semblait rien remarquer d'anormal.

Il me posa de nombreuses questions sur ma vie à l'orphelinat. Pamela s'intéressait surtout aux souvenirs que je pouvais garder de ma mère.

— Je ne me souviens de rien, dis-je. Tout ce que

je possède, c'est un ruban rose que, d'après ce qu'on m'a dit, j'avais dans les cheveux lorsqu'elle m'a abandonnée.

— Tu l'as toujours ? Où donc ? Je ne l'ai pas vu quand tu es arrivée, s'écria Pamela en jetant un regard inquiet à Peter.

— Il était dans la poche de mon jean. Je l'ai mis dans le tiroir d'une commode.

— Pourquoi tiens-tu à garder ce genre de chose ?

— Je ne sais pas, bredouillai-je, au bord des larmes.

— Ce n'est rien, Pamela. Un souvenir, c'est tout, dit Peter avec un haussement d'épaules.

L'air consternée, elle se rencogna dans son fauteuil.

— On raconte tellement d'histoires horribles sur des familles qui ont élevé un enfant et qui voient, des années plus tard, la mère biologique — qui ne sait pas ce que c'est que d'élever un enfant — débarquer et réclamer ses droits, marmonna-t-elle.

— Cela ne se produira pas, assura Peter. Elle ne se souvient même pas de son visage. N'est-ce pas, Brenda ?

— Non.

— Tu ne devrais pas te cramponner à ce vieux ruban, grommela Pamela. Cette femme s'est débarrassée de toi comme... comme d'un chien encombrant.

— Pamela, intervint Peter, arrête, tu lui fais de la peine.

Elle me regarda et se détendit.

— C'est que je m'inquiète pour toi. Je veux que tu sois heureuse chez nous, expliqua-t-elle.

Je m'efforçai de sourire. La journée avait été éprouvante. Cette succession de surprises et de vagues d'euphorie m'avait anéantie et j'avais du mal à garder les yeux ouverts. En riant, Peter suggéra que j'aille me reposer.

— Ce n'est qu'un commencement, Brenda. Un avant-goût de ce qui va suivre, promit-il.

— Je vais t'accompagner et te montrer la bonne façon de se démaquiller. Et ensuite je vais te donner quelque chose à mettre sur ton visage.

— Mais je vais me coucher...

— Justement. C'est lorsqu'il est au repos que notre corps est le plus apte à se reconstituer. Tu veux être très belle dès le réveil, non ?

— Ecoute ce que dit Pamela, recommanda Peter en souriant. Tu peux constater qu'elle sait de quoi elle parle.

Se maquiller et se démaquiller tous les jours, se laver avec un savon spécial, ne respirer que de l'air filtré, suivre un régime alimentaire, éviter les soucis, psalmodier, méditer, s'enduire le visage d'une crème avant de se coucher. Quel travail ! S'il me fallait faire tout ça pour être belle, je préférais rester telle que j'étais.

Mais si je voulais que Pamela m'aime comme une fille, ou plutôt comme une sœur, il me fallait taire mes réticences.

Cela, je le savais mais j'ignorais qu'il me restait encore beaucoup de choses à découvrir.

4

Quelques secrets

Les jours suivants, Pamela organisa ma vie en planifiant mes journées du lever au coucher sans me consulter ni rien laisser au hasard. Elle avait décidé de m'inscrire au Collège Agnès-Fodor, une école privée pour filles réservée aux enfants nées avec une cuillère en argent dans la bouche. Mais, avant de me plonger dans ce nouveau milieu, elle tint à me donner quelques rudiments de maintien afin, dit-elle, de « rouler les sangs-bleus ».

— C'est une expression qui désigne les gens nés avec fortune et de haute position sociale, ceux dont les familles peuvent se targuer de nobles ancêtres. Tes futures camarades en sont. Dès le premier jour, on leur apprend comment se comporter et je veux qu'on te prenne pour l'une d'entre elles.

— Mais je ne fais pas partie de ce milieu, protestai-je.

— Maintenant, si. Peter et moi venons des meilleures familles et tu portes notre nom. Et surtout, lorsque quelqu'un te regardera, c'est moi qu'il verra. Tu comprends ?

Je fis oui de la tête mais devenir quelqu'un d'autre du jour au lendemain ne me plaisait pas. Il me fallait plus de temps pour m'habituer à vivre entourée de domestiques prêts à accourir au moindre appel et pour me sentir chez moi dans une maison qui ressemblait à un palais. Je n'aimais pas que, tous les soirs, Joline vienne faire couler mon bain, ouvrir mon lit et y étaler ma chemise de nuit.

Cela me donnait l'impression d'être handicapée. Quant au choix de mes vêtements et de ma coiffure, seule Pamela en disposait. Lorsque je lui dis que je ne m'étais jamais verni les ongles, elle me regarda comme si j'étais quelque créature venue d'un autre monde.

— Jamais ? C'est incroyable.

Et lorsque l'ordre de me vernir aussi les ongles des orteils me fit éclater de rire, elle s'emporta carrément.

— Ça n'a rien de drôle. Cette partie de ton corps a autant d'importance que les autres.

— Mais qui les verra ?

— Peu importe qui les voit. Tu dois comprendre que nous sommes belles d'abord pour nous-mêmes. Si nous nous sentons belles, exceptionnellement belles, ce sera visible et les autres nous trouveront exceptionnelles.

— Je ne comprends pas l'intérêt d'être exceptionnelle, marmonnai-je.

— Tes vêtements, ta coiffure, ton maquillage, ta démarche et ton sourire, tout doit être coordonné et viser la perfection. Des femmes comme nous, Brenda, sont des œuvres d'art en elles-mêmes. C'est ce qui nous rend exceptionnelles. Tu comprends, maintenant ?

Je n'avais compris qu'une chose : seul l'acquiescement systématique à ses lubies l'empêcherait de s'emporter.

Son premier accès de colère eut lieu trois jours après mon arrivée, alors que je lui demandais la permission de téléphoner à l'orphelinat. Je voulais bavarder avec Barbara Francis, la seule amie de cœur que j'y avais laissée et qui, sûrement, souffrait de mon départ. Très timide, elle ne se livrait qu'à moi et je m'inquiétais de son moral. Les Thompson m'ayant emmenée immédiatement, nous avions à peine eu le temps de nous dire adieu.

— Il n'en est pas question! rugit Pamela. Tu dois chasser de ta mémoire cet endroit et tous les gens qui y vivent. Bientôt, tu ne te souviendras même plus que tu étais orpheline.

Serrant les dents, elle grimaça comme si le mot *orpheline* avait empli sa bouche d'huile de ricin.

Si les orphelins la dégoûtaient tant, comment pourrait-elle jamais m'aimer? me demandai-je avec inquiétude. Peut-être se posait-elle la même question, ce qui expliquait sa hâte à me faire devenir quelqu'un d'autre. Pour notre bien à toutes les deux, je décidai de m'y efforcer.

La première tâche que se fixa Pamela après m'avoir enseigné l'art du maquillage matinal fut l'achat d'autres vêtements. Au rayon lingerie, elle choisit un soutien-gorge rembourré dans lequel je me sentis complètement ridicule. Un regard sur la silhouette aux formes exagérées qui se reflétait dans la glace accrut mon malaise. Je me plaignis de ne pas me reconnaître dans cette fille plus âgée qui soutenait tant bien que mal mon regard effaré.

— C'est exactement ce que je veux, répliqua Pamela. Je connais bien les jurés des concours. Lorsqu'une candidate au titre de Miss Ado paraît plus âgée, ils sont épatés, surtout les hommes.

Qu'elle compte me présenter à ce genre de compétition me semblait incroyable. Que voyait-elle sur mon visage que je n'avais pas remarqué, que personne n'avait jamais remarqué? Je me trouvais plutôt ordinaire, ni laide ni belle, correcte sans plus, et ces gros seins n'arrangeaient rien. Au contraire, j'avais l'impression d'avoir enfilé un gilet pare-balles et ce buste énorme ne correspondait pas au reste de ma silhouette.

Avant de quitter le magasin, j'eus encore droit à une demi-douzaine de robes, jupes et chemisiers, trois paires de chaussures assorties aux tenues, un collier, des boucles d'oreilles et une bague en or incrustée d'une pierre rose. Puis elle prit un rendez-vous avec son visagiste pour qu'il me coupe et me coiffe les cheveux la veille de mon inscription au Collège Agnès-Fodor.

Ainsi qu'elle me l'avait dit, chaque instant passé ensemble était un cours de maintien.

Dans la limousine, elle me montra comment m'asseoir, le dos droit, la tête légèrement rejetée en arrière, les jambes serrées sans être crispées ou bien croisées mais d'une certaine façon et pas d'une autre.

— Nous te ferons rencontrer des tas de gens très différents, Brenda. Quand je te présenterai, évite de dire : « Salut. » Je sais bien que c'est ce que disent les jeunes d'aujourd'hui mais ce n'est pas correct. Je veux que tu aies l'air extrêmement bien élevée. Réponds : « Bonjour, monsieur — ou bonjour madame. Je suis enchantée de faire votre connaissance. » Et regarde toujours cette personne dans les yeux afin qu'elle croie que tu t'intéresses vraiment à elle et non à l'homme splendide qui se trouve derrière elle. Si on te tend la main, tu peux la serrer mais, parmi nos relations, tu rencontreras quelques Européens qui ont l'habitude de s'embrasser sur la joue. Imite-moi. Si je le fais, fais-le. Approche ta joue droite de leur joue droite, écarte-toi légèrement et recommence avec la joue gauche. La plupart font ce qu'on appelle un baiser dans le vide.

— Un baiser dans le vide ?

— Oui. On ne pose pas les lèvres sur la joue de l'autre. On embrasse le vide en faisant claquer les lèvres pour que ça ait l'air d'un baiser. Tu saisiras vite le truc, promit-elle avec un sourire.

Ces usages me paraissaient complètement idiots. Ils me rappelaient les règles qu'avait inventées Billy, un camarade de l'orphelinat. Nous avions fondé un club secret ; il avait entre autres choses imaginé un serrement de main qui commençait par une pression des pouces. Des mots de passe devaient être dits en telle et telle occasion. Un clignement de l'œil gauche signifiait ceci et celui de l'œil droit, cela. Peut-être les gens cultivés et sophistiqués avaient-ils aussi leurs clubs et leurs rites secrets.

— Je déteste aussi le mot « super », que les adolescents d'aujourd'hui utilisent à tort et à travers. Quand on te demandera : « Comment allez-vous ? », réponds : « Très bien, merci » ou : « Très bien. Et vous ? » Tout cela sera d'une importance capitale lors de l'entretien avec les jurés. Ils te noteront selon ton comportement et tes bonnes manières.

— Quels jurés ?

— Les jurés des concours. Tu n'écoutes donc pas ce que je te dis ? s'écria-t-elle d'une voix exaspérée.

— J'écoute mais quand est-ce que vous me présenterez à un concours ?

— Bien sûr, je ne te présenterai nulle part tant que tu ne seras pas prête mais je pense que ça pourrait se faire dans six mois environ.

— Six mois ! De quel concours s'agit-il ?

— Ce n'est pas l'un des plus prestigieux mais il te permettra de te faire les dents. C'est le Miss Ado de New York qui se déroule à Albany. La gagnante remporte une bourse pour ses études, ce dont tu n'as pas besoin, mais surtout elle représente l'Etat dans des campagnes publicitaires dans les journaux et dans une vidéo qui passe à la télévision. Je veux que tu gagnes, conclut-elle d'un ton ferme.

Gagner ? Je n'aurais même pas le courage de franchir la porte, encore moins de monter sur scène. Mais je compris à l'expression résolue de Pamela que je n'avais pas intérêt à la contredire.

Mon éducation en ce qui concernait les bonnes manières d'une sang-bleu se poursuivait à la maison. Le premier après-midi fut consacré aux usages de la table et la salle à manger se mua en salle de classe.

— Assieds-toi droite, ordonna Pamela en me donnant l'exemple. Tu peux t'appuyer légèrement sur le dossier de ta chaise. Quand tu ne manges pas, garde les mains sur les genoux ; ça t'empêchera de tripoter tes couverts. C'est une habitude détestable, surtout quand les gens tapotent la table ou leur assiette avec leur fourchette. Très grossier. Extrêmement grossier. Tu peux, comme moi maintenant, laisser ta main ou ton poignet reposer sur la table mais pas tout le bras. Surtout, ne te passe pas la main dans les cheveux. Il y en a toujours quelques-uns qui s'envolent et atterrissent sur un plat. Si tu dois te pencher pour entendre la conversation, tu peux poser un coude sur la table. En fait, comme tu le vois, c'est plus gracieux que de s'incliner tout bêtement. Tu vois ?

— Oui.

Elle me fit répéter chacun des gestes décrits.

— Les adolescents, reprit-elle en prononçant le mot comme s'il s'agissait d'animaux primitifs, s'amusent à balancer leur chaise d'avant en arrière.

Ne fais jamais ça. Bien sûr, tu sais mettre ta serviette sur tes genoux mais, par politesse, il ne faut pas le faire avant la maîtresse de maison. Ici, c'est moi la maîtresse de maison, alors attends que je l'aie fait. Compris ?

Je hochai la tête.

— Quand tu déplies ta serviette, ne l'agite pas en l'air. Je déteste ça. Certains des amis de Peter la déplient avec tant d'énergie que les bougies s'éteignent. Ce sont de grossiers personnages.

Joline entra et se mit à nous servir.

— Comme pour déplier la serviette, ne commence pas à manger avant la maîtresse de maison. Lors de ton premier repas ici, tu ignorais quelle fourchette utiliser en premier. Il faut commencer par l'instrument — couteau, cuillère ou fourchette — qui se trouve le plus éloigné de l'assiette. Maintenant, regarde comment je coupe ma viande, comment j'utilise ma fourchette et comment je mâche. Ne coupe pas de trop gros morceaux. Mâche la bouche fermée. Si quelqu'un te pose une question pendant que tu es en train de mâcher, avale ta bouchée avant de répondre. Si les autres convives sont bien élevés, ils sauront qu'il leur faut attendre. Tu verras que tes camarades du Collège Agnès-Fodor connaissent et respectent tous ces usages. Je ne veux pas que tu te sentes en état d'infériorité. Mais si jamais tu commets une erreur, tant pis, n'en fais pas un drame. Compris ?

— Oui.

Jamais manger ne m'avait mise dans un tel état de nerfs. En fait, j'étais si crispée que la nourriture faisait des bulles dans mon estomac et que je ne sentais plus aucune saveur.

Au dîner, je dus montrer à Peter tout ce que

j'avais appris. Après chaque geste, chaque gorgée, chaque bouchée, je jetais un coup d'œil à Pamela pour voir si elle était satisfaite ou non. Selon le cas, elle hochait la tête ou fronçait les sourcils.

— Tu as accompli des merveilles avec elle, déclara Peter. Je ne t'avais pas dit, Brenda, que tu étais dans les mains d'une experte en ce qui concerne le maintien et la beauté ?

— Si, fis-je.

— J'ai du mal à reconnaître cette enfant, poursuivit-il. Est-ce bien la même pauvre petite déshéritée que nous avons ramenée chez nous ? Pamela, tu es maître en ce domaine.

Les compliments de Peter la firent jubiler. Plus tard, quand nous nous retrouvâmes seules, elle attaqua la deuxième partie du programme : comment manœuvrer les hommes.

— As-tu remarqué comme Peter me fait souvent des compliments ?

J'acquiesçai. Je l'avais effectivement remarqué et je me demandais si tous les maris se comportaient de cette façon.

— Eh bien, ce n'est pas par hasard. Si tu fais comprendre à un homme que tu comptes sur ses compliments, il se mettra en quatre pour t'en faire. Je suis une femme professionnelle, expliqua-t-elle. La féminité est ma profession. Pas comme ces prétendues femmes libérées qui ne cessent de se plaindre dans les journaux ou à la télévision. Elles croient qu'elles vont obtenir ce qu'elles veulent à force de jérémiades. Quelle erreur ! Il n'y a qu'une seule façon d'obtenir d'un homme ce que tu veux, déclara-t-elle, c'est de lui faire croire que tu le trouves exceptionnel et que, tant qu'il te traitera comme un être unique, tu en feras autant à son égard. Laisse-lui croire qu'il est ton protecteur. Sois vulnérable, délicate. Montre-lui que tu as besoin de sa force. Il fera tout pour te protéger, te rendre heureuse, te combler et *voilà*, le tour est joué. De cette manière, tu obtiendras toujours ce que tu désires. C'est plus facile que de rouspéter et, en même temps, c'est plus amusant. Qui a envie de défiler sous le soleil en brandissant des banderoles et en hurlant des slogans idiots ? Et qui a envie de ressembler à ces mégères hagardes ? Il y en a parmi elles qui préféreraient mourir plutôt que de se maquiller. Résultat, elles ont l'air de cadavres ambulants. J'espère que tu comprends ce que je dis, Brenda. C'est très important.

Je comprenais sans comprendre. Les hommes et les garçons étaient encore un mystère pour moi. Etant aussi forte et aussi rapide qu'eux sur le terrain de base-ball, je n'avais pas besoin de jouer à la petite sœur fragile pour me sentir à l'aise en leur compagnie. Je savais qu'ils me respectaient puisqu'ils me choisissaient, avant d'autres garçons, pour faire partie de leur équipe. Ce que je comprenais, en revanche, c'était que je n'avais pas intérêt à faire ce genre de remarques à Pamela.

— As-tu vu comme je bats des cils en regardant Peter ? Et la façon dont je ris, dont je pose les yeux sur lui ou les détourne ? Il y a un mouvement d'épaules aussi dont je suis très fière. Observe-moi à chaque instant.

Ces remarques finirent par me scandaliser. Tous les gestes de Pamela, clignements d'yeux, moues des lèvres, haussements d'épaules, étaient-ils vraiment étudiés ? Et si c'était le cas, avait-elle raison ? Cela ressemblait à un complot, destiné à leurrer Peter, à le manœuvrer. Se comportait-on ainsi avec quelqu'un qu'on aimait ? Je ne pus retenir la question.

— Mais est-ce que Peter ne ferait pas tout pour vous de toute façon, simplement parce qu'il vous aime ?

Mon innocence la fit pouffer de rire.

— Comment crois-tu qu'on suscite l'amour de quelqu'un, Brenda ? Tu crois peut-être que ça se passe comme dans les films ou les romans ? Tu crois qu'il suffit de croiser un regard pour déclencher le coup de foudre ? Se faire aimer, c'est un vrai travail. Et, de toute façon, la plupart du temps, les hommes ne savent pas ce qu'ils veulent. C'est à toi de le leur montrer. La plupart des hommes pensent qu'une belle femme, c'est une créature affublée de gros seins et dont les hanches vont de droite à gauche comme le balancier d'une horloge. Une belle femme, c'est beaucoup plus que ça, Brenda. La beauté, ça se nourrit, ça s'entretient, ça se développe, comme je suis en train de te l'apprendre. Et bientôt tu sauras que tu es exceptionnelle et, dès qu'un homme posera les yeux sur toi, il en aura aussitôt la conviction. A ce moment, tous les hommes s'éprendront de toi et il ne te restera plus qu'à choisir. C'est ce qui m'est arrivé et c'est ce qui t'arrivera si tu fais ce que je te dis.

Etions-nous au monde uniquement pour gagner un homme, comme on gagne un lot ? N'avions-nous pas d'autres objectifs dans la vie ? J'aurais bien voulu poser cette question mais, comme tant d'autres pensées et questions qui me démangeaient la langue, je la ravalai et la mis de côté pour un moment plus propice, de peur de déclencher mépris ou colère.

Malgré ses propos dérangeants, je désirais qu'elle

m'aime comme une mère, que Peter soit vraiment mon père et que nous formions une famille. Je voulais rire et m'amuser, faire avec eux les choses que les autres filles de mon âge faisaient en famille. C'était normal, finalement, que Pamela désire que je lui ressemble. De cette façon, elle aurait l'impression d'avoir vraiment une fille.

Ce qui me surprit et m'effraya un peu, cependant, ce furent les instructions qu'elle me donna en m'emmenant m'inscrire au Collège Agnès-Fodor. Je devais démarrer cette nouvelle existence par un énorme mensonge.

— A l'exception de Mrs. Harper, la principale, personne ne doit savoir que tu viens d'un orphelinat.

— Comment ? Que voulez-vous dire ?

— Mrs. Harper est d'accord avec moi sur ce point. Crois-moi, tu te sentiras plus à l'aise, surtout en présence des autres filles, si ce petit détail est oublié.

Oublié ? Ce petit détail ? Toute ma vie, j'avais été une orpheline. Je n'avais pas d'autres expériences sur lesquelles m'appuyer. Comment pourrais-je prétendre être quelqu'un d'autre ?

— Mais qu'est-ce que je vais dire ? Quand on m'interrogera, qu'est-ce que je répondrai ?

— Dis-leur que tu es notre fille. Raconte-leur que nous avons décidé de t'envoyer dans cet établissement parce que l'école publique que tu fréquentais jusqu'à présent est devenue épouvantable. De plus en plus d'enfants issus de classes inférieures y ont été accueillis et ce sont eux à présent qui constituent la majeure partie des effectifs. Le niveau scolaire a baissé, la discipline n'y est plus respectée et tes parents se sont inquiétés de ta sécurité autant que de ton éducation. La plupart des filles comprendront car elles ont vécu la même expérience. Leurs parents les ont incrites à Agnès-Fodor pour les soustraire aux mauvaises influences et à l'éducation insuffisante que dispense l'enseignement public. Si tu te comportes comme je te l'ai appris, tout le monde te croira sur parole. Et tu n'auras pas peur de les inviter à la maison, j'espère ? Je suis sûre que tu n'auras pas de problèmes, déclara-t-elle avec assurance. Si tu doutes de ce que tu dois dire, attends de pouvoir m'en parler. Ou bien parle de moi. Raconte-leur que j'ai été mannequin, que j'ai remporté des concours de beauté. Leurs mères sont loin d'être des séductrices et elles seront vertes de jalousie...

Elle sourit de satisfaction.

— Je suis folle de joie. Peter et moi, nous aurons vite de quoi être fiers de toi, j'en suis sûre.

Je regardai par la vitre de la voiture. Lorsque je vivais dans l'orphelinat et que je ne possédais rien de valeur, pas même un nom de famille, je n'avais pas à mentir. Maintenant que j'étais riche, que je vivais dans un palais et que mes placards contenaient plus de vêtements que n'en possédaient toutes les filles de l'orphelinat, maintenant que j'avais des domestiques et que je roulais dans une limousine, je devais prétendre être quelqu'un d'autre.

La route qui menait au bonheur était longue et sinueuse, parsemée de pièges et d'illusions. En disant adieu à la petite orpheline que j'avais si longtemps été, je n'avais pas une seconde imaginé que je la regretterais un jour. Et c'est pourtant ce que je fis ce matin-là tandis que nous roulions vers ce merveilleux collège réservé aux privilégiées. J'aurais payé cher pour redevenir l'enfant déshéritée que j'avais été, tout comme on désire parfois remettre de vieux vêtements confortables, faits à notre personnalité, même s'ils sont usés et démodés.

— Et voilà! dit Pamela. Le Collège Agnès-Fodor. Ça ne ressemble même pas à une école, tu ne trouves pas?

Je regardai la grande bâtisse en pierre, nichée au creux d'un vallon et entourée d'arbres verdoyants; au loin, on apercevait un petit étang. Tout était propre et admirablement entretenu. Et silencieux. Pamela avait raison. Ça ne ressemblait pas à une école mais à une résidence pour personnes âgées.

J'inspirai un grand coup. Au lieu de m'enseigner l'art du maquillage, Pamela aurait plutôt dû m'apprendre à jouer la comédie. Je me sentais très mal à l'aise. Mentir n'était pas mon fort. Mes histoires seraient sûrement vite percées à jour et alors ce serait pire. Le cœur battant et les pieds lourds, j'entrai dans ma nouvelle école pour y endosser une autre personnalité.

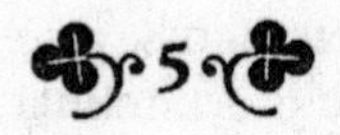

Première victoire

Mrs. Harper trônait derrière son bureau et ses petits yeux gris m'examinaient avec suspicion. Ce que je venais de voir de l'école m'avait ébahie. Une immense fresque représentant des chérubins en contemplation devant une bougie allumée ornait le vestibule meublé de canapés, de fauteuils et de guéridons. Le sol en marbre rutilait. Une fille d'environ quinze ans nous ouvrit la porte ; elle se présenta sous le nom de Hiliary Lindsey et nous apprit qu'elle assumait pour la semaine la charge de réceptionniste. Sa façon de se tenir, de s'exprimer et de nous tendre la main était tout à fait conforme à ce que m'avait enseigné Pamela. Comme nous la suivions dans le couloir, Pamela m'adressa un sourire et un hochement de tête comme pour dire : « C'est comme ça que tu dois te comporter, tu vois ? »

Ma nervosité était à son comble. L'antichambre du bureau de Mrs. Harper était aussi impeccable que le vestibule. Miss Randall, la secrétaire, était une petite femme aux formes généreuses dont les cheveux commençaient à grisonner. Son large front se plissa lorsqu'elle nous vit entrer.

Après nous avoir présentées, Hiliary me lança un bref sourire et nous quitta. Peu après, la porte du bureau s'ouvrit et Mrs. Harper nous pria d'entrer. C'était une grande femme, d'âge indéterminé, aux hanches étroites et au buste quasiment plat. Elle portait une robe bleue qui lui descendait jusqu'aux chevilles. Ses cheveux étaient châtain foncé et ses yeux noisette. Un long nez étroit, une bouche petite et des joues creuses accentuaient l'impression de maigreur mais elle avait une peau lisse, sans la moindre ride, et un teint uniforme tel que les admirait Pamela.

L'ordre qui régnait dans la pièce me frappa ; à part une chemise en carton marquée à mon nom, rien ne traînait sur l'acajou étincelant du bureau.

— Agnès-Fodor, commença-t-elle sans me quitter des yeux, est un établissement hautement réputé. Mes élèves ont toutes une conduite irréprochable.

Tu remarqueras immédiatement les grandes différences qui séparent Agnès-Fodor des écoles publiques.

A l'exception de ses lèvres minces, son visage restait figé.

— Tout d'abord, les classes ont de petits effectifs. Nous tenons à donner à chaque enfant une instruction personnalisée, précisa-t-elle en se tournant vers Pamela. Ensuite, nos élèves respectent toutes ce que nous appelons un code d'honneur. Nos professeurs n'ont pas à se soucier de problèmes de discipline. Tout le monde connaît les règles en vigueur ici et tout le monde s'y plie. Si jamais une fille enfreignait le règlement, elle l'avouerait d'elle-même. Mais cela ne se produit pas, s'empressa-t-elle d'ajouter. Il arrive, par exemple, qu'un professeur doive quitter la classe au moment d'un examen. Eh bien, nos filles n'en profitent pas pour tricher. Tu remarqueras que les casiers sont dépourvus de cadenas. Nos filles ne volent pas. Les sanitaires sont d'une propreté absolue. On ne trouve jamais de mégots flottant dans les cuvettes des W.-C. ou écrasés dans un lavabo. Nos filles ne fument pas dans l'enceinte de l'établissement et, d'ailleurs, la plupart d'entre elles ne fument pas du tout.

— Fumer, c'est ce qu'il y a de pire pour le teint, intervint Pamela.

Le regard sévère de Mrs. Harper se tourna brièvement vers elle puis revint à moi avec un petit balancement du crâne.

— Tu verras qu'il n'y a ni morceau de papier ni aucun déchet sur le sol, que ce soit dans les salles de classe ou dans les couloirs. Nos filles ne jettent rien à terre. Tu ne trouveras pas non plus de chewing-gum collé sous les chaises. Nous n'autorisons pas le chewing-gum. Après le déjeuner, le personnel de la cafétéria a peu de travail à faire. Nos filles rangent et, s'il le faut, lavent leur table. Durant les interclasses, personne n'élève la voix. Nos filles ne crient pas. Jamais, depuis qu'Agnès-Fodor existe, il n'y a eu ici d'acte de violence. Si un différend oppose deux filles, elles doivent le soumettre à un jury composé d'élèves élues. Le Bureau des Elèves est très efficace et nous lui faisons toute confiance. Nos filles font leur propre police. Si l'une d'elles enfreint le règlement, le jury la convoque, la juge et prononce la sanction.

— Mais je croyais que personne n'enfreignait le règlement? m'étonnai-je en toute innocence.

Les yeux de Mrs. Harper devinrent des charbons ardents. Son visage blêmit et les veines de son cou saillirent sous la peau.

— Je voulais dire que c'est très rare, si rare que l'an passé le jury ne s'est réuni que deux fois. De toute l'année... Il est très inhabituel, reprit-elle en s'adressant à Pamela, qu'Agnès-Fodor admette une enfant dont les origines et les premières années n'ont pas été conformes à nos critères, mais, vu votre position et celle de votre époux dans notre communauté, nous pensons que Brenda saura vite s'adapter à notre échelle de valeurs.

La phrase avait démarré comme un compliment et s'était achevée sur le ton de la menace. Ce qui n'empêcha pas Pamela de sourire.

— Oh, nous en sommes convaincus! répondit-elle.

— Parfait, fit Mrs. Harper en ouvrant mon dossier.

Elle le parcourut brièvement puis me regarda à nouveau.

— Tu n'as pas toujours été ce qu'on appelle une bonne élève. Mais nous remarquons d'ordinaire que les enfants travaillent mieux dès qu'elles arrivent ici. C'est ce que nous attendons de toi, malgré tes tristes antécédents. Comme Mrs. Thompson me l'a demandé, rien de ton passé ne sortira de ce bureau. J'aurai seule accès à ton dossier.

— Je vous remercie, dit Pamela.

— Cependant, reprit Mrs. Harper sans tenir compte de l'interruption, tu sais que je sais et tu sais ce que j'attends de toi. As-tu des questions à poser?

Je fis non de la tête.

Ses yeux me scrutèrent, comme deux petits projecteurs en quête d'une imperfection. Gênée par cet examen agressif, je me tortillai sur ma chaise. N'ayant rien trouvé de dramatique à me reprocher, elle referma le dossier et se leva.

— Suis-moi.

J'obéis aussitôt.

Pamela fit un pas et effleura mon bras.

— Bonne chance, murmura-t-elle avec un sourire.

Je hochai la tête et suivis Mrs. Harper dans l'antichambre. Elle se retourna vers Pamela.

— Je reviens tout de suite, Mrs. Thompson.

Puis elle me fit signe de me hâter. Elle marchait vite, à grandes enjambées, ce qui m'obligea à trottiner pour rester à sa hauteur.

— C'est la classe de Mr. Rudley, le professeur d'anglais, dit-elle en s'arrêtant devant une porte. C'est aussi ton professeur principal et c'est donc lui qui te donnera ton emploi du temps.

Mr. Rudley était un homme d'environ cinquante ans, aux cheveux gris cendré. Juché sur le coin de son bureau, il sursauta et se mit au garde-à-vous dès qu'il vit entrer Mrs. Harper. Les six filles qui composaient la classe en firent autant. Elles me dévisagèrent avec curiosité.

— Voici Brenda Thompson, la nouvelle élève dont je vous ai parlé, Mr. Rudley, dit Mrs. Harper.

— Très bien, Mrs. Harper. Sois la bienvenue, Brenda. Tu peux t'asseoir là, dit-il en désignant une table libre à sa droite.

Je traversai la pièce et me tins debout derrière ma chaise.

— Je vous demande à toutes d'aider Brenda à se sentir chez elle dans notre établissement. Elle arrive d'une école publique, précisa Mrs. Harper avec une moue désapprobatrice. Vous lui donnerez son emploi du temps dès que possible, Mr. Rudley, ajouta-t-elle avant de sortir.

Il y eut un bref silence. Mr. Rudley fit un signe de tête et tout le monde s'assit. Puis il ouvrit son bureau et en sortit la feuille de mon emploi du temps qu'il vint déposer devant moi.

— Faisons les présentations, mesdemoiselles, dit-il. Margaret, commence.

— Je m'appelle Margaret Wilson. Enchantée de faire ta connaissance.

Avant que j'aie pu répondre, la fille aux cheveux noirs qui était assise à côté d'elle prit la suite :

— Je m'appelle Heather Harper. Je suis la nièce de Mrs. Harper, ajouta-t-elle d'un ton suffisant.

— Et moi, je m'appelle Lisa Donald, dit une rousse aux yeux d'un vert éblouissant.

Elle paraissait plus âgée que les autres, sans doute à cause de sa poitrine plus pleine que mes faux seins, et aussi à cause de son regard plus mûr et plus assuré.

— Je m'appelle Eva Jensen, dit une fille blonde qui avait l'air scandinave.

Elle avait des traits un peu durs et une silhouette extrêmement mince.

— Et moi, Rosemary Gillian, dit une petite brune.

Une fossette lui creusait la joue et une autre le menton. Je remarquai le regard malicieux qu'elle jeta à ses camarades après s'être présentée.

— Helen Baldwin, fit la fille qui, la première, m'avait dévisagée avec curiosité.

— Très bien, dit Mr. Rudley en me tendant un manuel. Je ne sais pas ce que tu as déjà étudié dans ton école précédente mais nous commencions tout juste *Roméo et Juliette*. Chacun lit un rôle, et parfois deux puisque nous ne sommes que sept.

— Huit maintenant, corrigea Rosemary.

— C'est exact, dit-il. Voyons, tu pourrais prendre le rôle de...

— Elle pourrait être Roméo, intervint Heather Harper. Ça m'est désagréable d'être un homme.

— Ce n'est qu'un garçon, rappelle-toi, dit Lisa Donald. Mr. Rudley nous l'a dit.

— C'est vrai. Roméo et Juliette n'étaient guère plus âgés que vous, approuva-t-il.

— Et de toute façon, Mr. Rudley a dit qu'à l'époque de Shakespeare c'était un garçon qui tenait le rôle de Juliette, poursuivit Lisa. Alors, peu importe qui le lit aujourd'hui.

— Je ne suis pas d'accord, insista Heather. Je préfère être Juliette. Pourquoi tu ne prends pas Roméo, toi? Pourquoi fais-tu Juliette?

— C'est Mr. Rudley qui m'a confié ce rôle.

— Voyons, mesdemoiselles, calmez-vous. Brenda, qu'en dis-tu?

— Ça ne me gêne pas de prendre le rôle de Roméo.

Je regardai mes camarades. Heather triomphait avec un petit sourire satisfait.

— Très bien, dit Mr. Rudley. Alors, reprenons la pièce.

Lorsque la sonnerie retentit, Eva Jensen et Helen Baldwin proposèrent de me faire visiter l'école. Contrairement à ce que j'avais pensé, aucune autre élève ne nous rejoignit pour les cours suivants et notre petit groupe de huit resta inchangé jusqu'à la fin de la journée. Les interclasses se déroulèrent comme l'avait dit Mrs. Harper : dans l'ordre et la discipline. On me présenta d'autres filles mais il me fallut attendre la pause du déjeuner pour avoir avec elles de vraies conversations. Bien sûr, tout le monde voulut savoir de quelle école je venais, pourquoi je l'avais quittée, comment elle était, etc. Seule Heather Harper ne parut pas convaincue par mes réponses.

— Tu as des frères et sœurs ? demanda-t-elle.

— Non.

— Tes parents sont très riches ? poursuivit-elle.

Les autres filles s'étaient tues, lui laissant mener la conversation.

— Oui. Mon père est un grand avocat d'affaires.

— Le mien aussi. Tu es vraiment très riche ? Jusqu'à quel point ?

— Je ne sais pas. Je veux dire, j'ignore combien d'argent nous possédons.

— Moi, je sais, se vanta-t-elle, mais je ne le dis à personne.

— Alors pourquoi tu lui as posé cette question ? intervint Eva Jensen.

— Pour voir si elle allait le dire ! s'esclaffa Heather. De toute façon, je pourrais le savoir si je le voulais. Ma tante sait très exactement ce que possède chaque famille. Pour nous faire admettre ici, nos parents doivent remplir un questionnaire sur leur situation financière.

— Jamais elle ne te le dira, protesta Rosemary Gillian. Et si elle savait ce que tu viens de dire, elle te mettrait à la porte.

Heather parut se recroqueviller sur sa chaise.

— Je plaisantais. Tout le monde essaie de t'épater, Brenda, accusa-t-elle avec un regard furieux. C'est ce qu'elles font toujours quand il y a une nouvelle... Alors, que penses-tu de cet endroit ? enchaîna-t-elle en reprenant son attitude inquisitrice.

— C'est splendide. Je veux dire, je n'arrive pas à croire que c'est une école.

Elles sourirent.

— Nous non plus, repartit Heather d'un ton sec.

— Je suis contente que ça te plaise, dit Eva avec un sourire chaleureux. On a toujours besoin de nouvelles amies.

— Qu'est-ce que tu veux dire ? De nouvelles amies ? railla Heather. De n'importe quelle amie, en ce qui te concerne, non ?

Les autres pouffèrent de rire. Eva parut sur le point de fondre en larmes.

— Moi, j'ai besoin de nouvelles amies, oui, répliquai-je en regardant Heather. On n'en a jamais assez. De vraies amies, je veux dire.

Personne ne dit mot puis Heather se mit à rire.

— *Touché*, fit-elle. Tu sais ce que ça veut dire ?

Je n'en savais trop rien mais je hochai la tête. La cloche sonna et nous nous levâmes. Chaque fille s'assura qu'elle laissait sa place dans une propreté irréprochable. J'en fis autant et les suivis.

Heather s'approcha de moi.

— Tu n'as pas l'air d'appartenir à une famille vraiment riche.

— Pourquoi ?

— Tu es trop reconnaissante, répliqua-t-elle.

Enchantée de son trait d'esprit, elle sourit à la ronde. Tout le monde rit, même Eva. Elles me dévisagèrent, attendant sans doute que je les imite ou que je les admire, et je me dis : « Pourquoi ne pas monter à bord de leur petit rafiot stupide ? » Je lâchai un petit gloussement et, du coup, toutes, y compris Heather, parurent m'accepter. Peut-être y parviendrais-je, finalement, pensai-je. Peut-être parviendrais-je à quitter mon vrai moi et à endosser une nouvelle personnalité.

Le cours d'éducation physique était le dernier de la journée. A notre classe, s'ajoutèrent des élèves de quatrième, de troisième et même de seconde, ce qui nous permit de jouer au base-ball. Mrs. Grossbard, notre professeur, avait fait partie d'une équipe de course de relais qui avait remporté la médaille de bronze lors de Jeux olympiques. Lorsque je sortis des vestiaires, vêtue du short bleu marine, du polo blanc portant le logo d'Agnès-Fodor sur le sein gauche et des chaussures de sport fournies par l'école, elle m'examina avec intérêt.

— Tu as joué au base-ball dans ton ancienne école ? me demanda-t-elle.

— Oui, madame.

— Appelle-moi « coach », corrigea-t-elle. J'ai l'honneur d'être le coach de base-ball, le coach de natation, celui de la course de relais et du basket-ball. J'ai aussi l'honneur de n'avoir jamais eu d'équipe gagnante dans aucun de ces sports. Mais j'essaie, dit-elle avec un soupir. Je fais de mon mieux avec ces filles qui n'ont qu'une peur, c'est de se casser un ongle. Mets-toi dans l'équipe bleue ; tu seras intercepteur et cinquième batteur.

Je rejoignis mes camarades sur le stade. Eva fut chargée de garder la première base, sans doute à cause de sa taille et de sa force. Désignée pour défendre le champ extérieur, Heather en profita pour se vautrer dans l'herbe. Les autres filles de ma classe faisaient partie de l'équipe blanche.

C'était délicieux de se retrouver dehors, d'étirer ses membres, de faire jouer ses muscles. D'autant plus que le temps était idéal. De petits nuages d'un blanc laiteux éclaboussaient le ciel bleu pâle. Une brise légère me rafraîchissait le visage. La crête des arbres empêchait le soleil de nous aveugler et l'odeur de l'herbe récemment tondue était enivrante.

Malheureusement, notre lanceur n'était pas à la hauteur. Ses trois premières balles s'écrasèrent mollement sur le sol à plusieurs mètres du « marbre », la plaque en caoutchouc où l'attendait le batteur. Mrs. Grossbard lui recommanda de se rapprocher, ce qu'elle fit. Elle lança à nouveau et la balle s'envola hors d'atteinte de qui que ce fût ; celle qui suivit faillit assommer le batteur.

— Attendez une minute, dit Mrs. Grossbard.

Elle mit les mains devant ses yeux comme pour se reposer un instant de la vue de ses élèves ou bien conférer avec elle-même. Puis elle ramassa la balle et me la lança. Je l'attrapai facilement.

— Renvoie-la, ordonna-t-elle.

J'obéis.

— Change de place avec Louise.

— Pourquoi ? protesta celle-ci en gémissant.

— Oh, je ne sais pas. Je me suis dit qu'on pourrait essayer de jouer un peu aujourd'hui.

Louise me jeta un regard furieux au passage.

— Echauffe-toi, me dit Mrs. Grossbard.

Je lançai la balle une demi-douzaine de fois. Elle dépassa largement le marbre.

— Au jeu ! cria Mrs. Grossbard.

Le premier batteur se mit en place et frappa ma balle. Elle rebondit mollement deux mètres plus loin. Je me précipitai et la rattrapai sans peine. Mon équipe poussa des hurlements de joie. Mrs. Grossbard, qui jusque-là s'appuyait contre la clôture, se redressa, visiblement intéressée.

Le batteur suivant se mit en place et elle eut beau se démener, elle ne parvint pas à toucher la balle. Le troisième batteur la frappa et l'envoya vers la troisième base que gardait Stacey, une élève de seconde ; celle-ci la renvoya avec force et le coureur de l'équipe adverse n'eut pas le temps d'atteindre la première base.

Puis ce fut à nous de prendre la batte.

— Tu as déjà joué comme lanceur ? me demanda Mrs. Grossbard comme nous changions de place.

— Oui.

— Pourquoi tu ne m'as pas dit que c'était ton poste habituel ?

— Je ne sais pas.

— D'habitude, mes filles n'hésitent pas à me signaler en quoi elles *croient* exceller, remarqua-t-elle. Ici, la modestie est aussi rare que la pauvreté.

Sans bien comprendre ce qu'elle voulait dire, je souris et m'assis sur le banc.

Notre premier batteur renvoya la balle juste derrière l'intercepteur qui n'était autre que Lisa Donald. Celle-ci la manqua et notre coureur put atteindre la première base. Notre deuxième batteur fut éliminé après trois essais ratés mais notre troisième batteur parvint à frapper la balle qui atterrit entre la première et la deuxième base. Nous avions réussi à placer des gardiens dans la première et la troisième base lorsqu'une grosse fille, du nom de Cora Munsen, frappa sec et envoya une longue balle drue que le gardien de la deuxième base ne put bloquer. Grâce à quoi, nous eûmes des gardiens dans toutes les bases. Pour la première fois depuis mon arrivée dans cette école, je pris la batte.

Tous les yeux se fixèrent sur moi. Certaines de mes camarades espéraient visiblement que j'allais me couvrir de ridicule, d'autres ne montraient que de la curiosité. La façon dont je me campai et empoignai la batte provoqua un hochement de tête approbateur de Mrs. Grossbard. Mon cœur cognait si fort que je dus m'écarter deux secondes pour reprendre mon souffle et me concentrer. Puis je me remis en place.

La première balle qu'on m'envoya arriva trop bas, la deuxième trop loin mais la troisième fut lente et en plein dans le mille. C'était mon coup préféré. Je frappai avec énergie. La balle s'éleva, s'envola et passa au-dessus de la tête du défenseur de champ-centre. Une petite colline s'élevait derrière le terrain de jeux. La balle frappa la crête et se mit à redescendre mais elle était si éloignée que j'eus le temps de faire le tour des bases avant que le défenseur n'ait pu l'intercepter.

Pour ma première partie de base-ball dans cette école, j'avais frappé un magnifique « coup de circuit », le coup gagnant dont tout le monde rêve.

Et Mrs. Grossbard poussa un hurlement de joie qui retentit longuement.

Cet exploit fut aussitôt le sujet de toutes les conversations. Dans les vestiaires, toutes les filles vinrent se présenter et me féliciter. Bientôt, les commentaires s'emballant, l'histoire qui circulait dans l'enceinte de l'établissement était que ma balle avait littéralement décapité la colline.

Mrs. Grossbard me rattrapa avant que je ne monte dans le car.

— Demain, tu t'inscris dans l'équipe de baseball de l'école, d'accord ?

— Promis.

— Formidable ! Si ça se trouve, on va enfin pouvoir gagner un match.

En pleine euphorie, je courus vers le car tant j'avais hâte de raconter à mes nouveaux parents cette première journée.

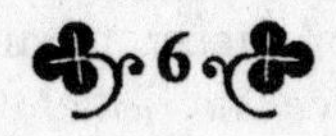

Être soi-même

Vibrante d'excitation, je poussai la porte d'entrée et me ruai dans l'escalier pour me changer en vitesse avant de raconter mes exploits, lorsque Pamela sortit du salon.

— C'est bien, tu es rentrée à l'heure. Viens ici, dit-elle en désignant le salon.

— Je voulais déposer mes livres et me changer. Il faut que je vous raconte...

— Non. Viens ici tout de suite, m'interrompit-elle d'une voix autoritaire. Tu feras ça plus tard. Il y a là quelqu'un que je veux te présenter sans tarder.

Je la suivis docilement. Un petit homme âgé, au visage rond et plat comme une pièce de monnaie leva sur moi des yeux d'un gris délavé. Son crâne dégarni laissait voir une grosse tache sombre qui se répandait sur ses tempes et sur sa nuque comme si quelqu'un lui avait renversé une saucière pleine sur la tête.

— Brenda, voici le professeur Wertzman. Je lui ai demandé de te donner des leçons de piano. On demande aux concurrentes de manifester quelque talent artistique et le professeur accepte de t'apprendre à jouer un morceau ou deux, déclara-t-elle.

A sa voix, je compris que non seulement la décision avait été prise mais qu'en plus il était évident qu'à l'issue de ces leçons je saurais jouer correctement du piano.

— Mais je n'ai aucun talent musical. Je n'ai même jamais essayé de jouer, protestai-je d'une petite voix.

— C'est parce que tu n'avais pas de piano à ta disposition. Qu'est-ce qu'on pouvait bien te proposer à l'orphelinat? demanda-t-elle avec un sourire froid. Maintenant, tu as tout ce dont on peut rêver. Le professeur Wertzman est très réputé. J'ai eu du mal à obtenir qu'il se libère pour s'occuper de toi mais il sait combien j'y attache d'importance, conclut-elle en jetant au vieil homme un regard glacial.

Il sourit, ce qui fit trembler son menton et frémir ses narines comme un lapin effaré.

— C'est un honneur pour moi que de pouvoir

vous rendre ce service, ainsi qu'à Mr. Thompson, dit-il.

— Tu vois? Tout le monde essaie de t'aider, Brenda. A partir d'aujourd'hui, tu prendras ta leçon quotidienne au retour de l'école. Aussi, rentre sans tarder.

— Mais...

— Mais quoi?

Elle jeta un coup d'œil au professeur qui élargit son sourire, puis tous deux se tournèrent vers moi.

— Le professeur d'éducation physique, Mrs. Grossbard, m'a demandé de m'inscrire dans l'équipe de base-ball. J'ai frappé un coup de circuit aujourd'hui, alors que c'était la première fois que je prenais la batte!

Durant un instant, Pamela se contenta de me regarder sans ciller. Mal à l'aise, le professeur de piano se racla la gorge puis, nouant les mains dans le dos, il se balança d'avant en arrière sur les talons.

— As-tu seulement une idée de ce que ça m'a coûté en argent et en efforts d'amener ici le professeur Wertzman? commença-t-elle à mi-voix. Sais-tu que ce monsieur enseigne dans les meilleures familles de la région? Il m'a assuré qu'il pouvait t'apprendre à jouer un ou deux morceaux en l'espace de six mois. Personne d'autre que lui ne peut faire une telle promesse. Tu as beaucoup de chance.

A sa façon de prononcer le mot *chance*, je compris que je n'avais que ça pour moi.

— Je m'en moque, protestai-je. Je ne veux pas apprendre le piano. Ça ne m'a jamais tentée. J'ai frappé un coup de circuit, répétai-je en reculant. Je joue bien au base-ball. Je veux entrer dans l'équipe.

— Brenda!

— Non ! Vous ne vous intéressez pas du tout à moi. Vous ne désirez qu'une chose : me transformer en vous ! criai-je en quittant la pièce.

— Reviens ici immédiatement, Brenda !

Je grimpai l'escalier quatre à quatre et, les joues ruisselantes de larmes, courus dans ma chambre. Là, je m'écroulai sur mon lit et enfouis le visage dans l'oreiller.

Elle n'avait pas le droit d'organiser ma vie sans me consulter. « Je me fiche bien de ce qu'elle va faire, pensai-je. Tant pis si elle me renvoie à l'orphelinat. » Je m'arrêtai de sangloter, m'essuyai la figure et m'assis en serrant les genoux contre moi, prête à l'affronter. Je guettai ses pas furieux dans le couloir mais rien ne vint. Au bout de quelques minutes, j'enfilai ce que Pamela appelait une tenue décontractée, un pantalon et un chemisier qui n'étaient pas plus confortables que mon uniforme d'école. Mon jean et mon vieux T-shirt me manquaient cruellement.

Redoutant de descendre, j'ouvris mes livres et me mis au travail. Une heure et demie s'était écoulée lorsqu'on frappa à la porte. Je n'avais pas entendu de bruit de pas et Pamela n'était pas du genre à frapper avant d'entrer.

— Oui ?

La porte s'ouvrit. C'était Peter. Il portait l'un de ses costumes bleu marine très élégants et paraissait aussi frais et alerte que s'il commençait sa journée.

— Je peux entrer ? demanda-t-il.

— Oui.

Avec un sourire, il referma doucement la porte derrière lui.

— Alors, dit-il, il semblerait qu'on se paie notre première petite crise familiale.

— Je n'ai aucun talent musical, grommelai-je.

— Comment le sais-tu ?

— Je n'en sais rien mais en tout cas je n'ai pas envie d'apprendre le piano.

Il s'assit posément sur le bord de mon lit.

— Tu es trop jeune pour savoir vraiment ce que tu veux ou ne veux pas. C'est comme si quelqu'un qui n'aurait jamais goûté de caviar disait : « Je ne veux pas en manger. Je n'aime pas ça. » Tu ne crois pas ? demanda-t-il d'une voix apaisante.

— Peut-être.

Malgré mes efforts, mes yeux s'emplirent à nouveau de larmes brûlantes.

— Tant que tu n'auras pas essayé, tu ne pourras pas savoir si tu aimes le piano. Il est possible que tu trouves ça merveilleux et, si tu fais de rapides progrès, cela te plaira encore davantage et tu seras fière de toi... Tu es une fille très intelligente, Brenda. Je suis sûr que tu es capable de comprendre ça.

Je gardai le silence un instant puis j'inspirai profondément et me tournai vers lui.

— J'ai frappé un coup de circuit, aujourd'hui, à l'école. Un grand coup, très fort et très haut.

— Vraiment ? fit-il en écarquillant les yeux. Un grand coup très haut ?

— Oui, oui. Et c'était la première fois que je prenais la batte dans cette école. Mrs. Grossbard, le coach, m'a demandé d'entrer dans l'équipe.

— Vraiment ? répéta-t-il.

— Il faut s'entraîner tous les jours après les cours. Le prochain match a lieu dans une semaine. Je ne peux pas manquer l'entraînement.

— Je vois. Et tu as raconté ça à Pamela ?

Ses sourcils s'étaient haussés et son regard s'assombrit.

— Oui.

— Maintenant, je comprends tout, dit-il en hochant la tête.

Il se leva et alla se camper devant la fenêtre. Après quelques minutes de réflexion, il se retourna.

— Et si je pouvais repousser ta leçon de piano jusqu'au début de la soirée, tout de suite après le dîner ? demanda-t-il en se dirigeant vers la porte. Tu crois que tu pourrais t'en sortir et faire aussi ton travail scolaire ?

— Oui ! m'écriai-je, alors que je n'en avais aucune idée.

— Ça ne durerait que jusqu'à la fin de la saison de base-ball, remarqua-t-il d'un ton pensif.

Manifestement, il en était déjà à réfléchir aux arguments susceptibles de convaincre Pamela.

— Mais je croyais que le professeur de piano nous faisait une faveur et n'était libre qu'après l'école ?

Peter me décocha un clin d'œil.

— Nous négocierons. C'est mon métier. Le secret dans un cas semblable, c'est de reculer sans céder à la panique, de respirer profondément et de chercher par quelles autres portes on peut rentrer dans la maison dont on vient de nous refuser l'accès. Avec cette solution, tu pourras intégrer l'équipe, Pamela sera contente d'avoir fait de son mieux pour ton éducation et je veillerai à ce que le professeur Wertzman n'ait pas à le regretter. Ça te va ?

J'acquiesçai.

— Bien. Alors ne te tracasse plus. La plupart du temps, nous nous faisons une montagne de nos problèmes. Mais si on les examine calmement, on s'aperçoit que les dragons qui nous ont terrifiés ne sont qu'un effet de notre imagination. Il faudra que tu me racontes tout sur ce coup de circuit, ajouta-t-il avec un grand sourire en ouvrant la porte.

Je lâchai un soupir de soulagement. Quelle chance j'avais de l'avoir pour père! Rien d'étonnant à ce qu'il ait si bien réussi. Trouver de nouvelles idées et inventer des solutions ne lui prenait guère de temps. Sûrement, un type comme lui pourrait devenir Président des Etats-Unis.

Néanmoins, je descendis dîner avec une légère appréhension. Les lèvres pincées, Pamela s'assit du bout des fesses. Je pris place sans mot dire et évitai de croiser son regard noir.

— Tout est arrangé avec le professeur Wertzman, annonça Peter d'un ton guilleret.

— J'attends toujours des excuses pour cette conduite déplorable, marmonna Pamela en me fusillant des yeux. D'autant plus que ça s'est passé devant le professeur. Il va d'une grande famille à une autre et je ne voudrais pas qu'il raconte des choses épouvantables sur nous.

— Il sait que ça n'est pas son intérêt, Pamela.

— Ce n'est pas une raison.

Je jugeai que le moment d'intervenir était venu.

— Je regrette. J'étais tellement surprise et bouleversée que je n'ai pas su me contrôler.

— Je fais de mon mieux pour toi et voilà que tu me ridiculises en public, se lamenta-t-elle.

— Pardon.

— Tout va bien, maintenant, dit Peter. Dînons agréablement et écoutons Brenda nous raconter sa première journée à Agnès-Fodor.

— Elle aurait pu prendre sa première leçon dès aujourd'hui, gémit Pamela d'une voix faiblissante qui me fit penser aux petits râles d'un moteur sur le point de caler.

— Elle la rattrapera, j'en suis sûr, dit Peter. Parle-nous de l'école, Brenda.

Je décrivis mes cours, mes professeurs et quelques-unes des élèves. Pamela voulut savoir leurs noms, quels vêtements elles portaient, ce que faisaient leurs pères, comment étaient leurs familles, toutes choses qui ne m'intéressaient pas et dont je n'avais aucune idée.

— Il faut que tu poses plus de questions, insista-t-elle. Que tu leur montres que tu t'intéresses à elles. Même si tu n'écoutes pas vraiment.

Peter éclata de rire.

— Pamela est passée maître dans l'art de la conversation. Tout le monde lui confie un tas de choses mais, à la fin de la soirée, elle ne peut pas m'en raconter la moitié. Personne n'a l'air de s'en apercevoir, d'ailleurs. J'imagine que ça leur est égal.

A quoi servait de parler si l'on ne vous écoutait pas? Quelle sorte de gens fréquentaient ces grandes soirées?

— Maintenant, raconte-nous ce coup de circuit, demanda enfin Peter.

Un sourire suffisant sur les lèvres, Pamela se mit à manger tandis que je décrivais les équipes en présence, le déroulement de la partie et mon coup gagnant, ainsi que l'enthousiasme général qui avait suivi.

— Le sport féminin a pris beaucoup plus d'importance que de ton temps, Pamela.

Ce commentaire ne fit qu'accroître l'irritation de sa femme.

— Quand le tennis, le golf, le base-ball ou le basket-ball seront inscrits au concours de Miss Amérique, préviens-moi, riposta-t-elle.

Peter émit un rire forcé puis changea de sujet.

Les jours suivants furent plus durs que je ne l'avais imaginé. En plus des tâches quotidiennes, j'avais beaucoup de travail scolaire à rattraper. L'entraînement était la seule activité que j'attendais avec plaisir et mon enthousiasme fit naître de nombreux sourires sur les lèvres de Mrs. Grossbard. Cependant, physiquement, c'était très éprouvant. Très vite, Mrs. Grossbard décida que je serais premier lanceur et dernier batteur. La seule fille que cette décision irrita fut Cora Munsen, qui avait été jusque-là dernier batteur en titre de l'équipe.

— Tu as eu de la chance, c'est tout, grommela-t-elle dans les vestiaires. Tu n'es pas meilleure que moi à la batte.

N'ayant aucune envie de susciter son animosité, j'acquiesçai.

— Sans doute, mais je me contente d'obéir à Mrs. Grossbard. C'est l'équipe qui compte.

— Tu parles! fit-elle. Tu es comme les autres. L'équipe, tu t'en fiches. C'est la gloire personnelle que tu cherches, un point, c'est tout.

— C'est faux, Cora.

Elle secoua la tête avec fureur et quitta la pièce.

Si la plupart des filles se moquaient d'elle et de sa corpulence, aucune n'aurait osé la provoquer directement, de peur de recevoir une gifle qui l'aurait jetée à terre. On l'avait surnommée Cora Mangetout, à cause de la voracité qui la poussait à chaparder de la nourriture pour grignoter entre les cours. Avec quelques kilos en moins, elle aurait pu être jolie, mais je n'osai le lui dire.

Après l'entraînement, je devais courir à la maison me préparer pour le dîner et apprendre une partie de mes leçons. Il arrivait que je n'aie pas le temps de me doucher avant la leçon de piano. Le professeur

Wertzman ne semblait pas s'en soucier. Lui-même dégageait une odeur forte qui me soulevait l'estomac. Il portait la même chemise toute la semaine et le vendredi le col était brun de crasse. J'avais beau m'écarter le plus possible, il se collait à moi et il m'était difficile de ne pas inhaler ces effluves de sueur et de linge sale.

Lorsqu'il m'expliquait quelque chose, ses paupières s'abaissaient et ses yeux devenaient deux petites fentes hargneuses. S'il s'emportait sur une faute que j'avais commise, ses postillons éclaboussaient le clavier qu'il essuyait ensuite d'un revers de manche. Lorsque Pamela assistait à la leçon, il prenait l'expression douce et attentive d'un professeur consciencieux mais, quand nous étions seuls, sa voix devenait cassante, il perdait patience et se plaignait d'avoir à transformer un vulgaire caillou en perle fine. L'envie de rétorquer que je ne lui avais rien demandé me démangeait mais je ravalais ma fierté et endurais stoïquement critiques et railleries.

Un soir, apercevant Peter qui lisait seul au salon, j'entrai pour lui parler.

— J'ai goûté au caviar et je déteste ça.

— Comment ?

Il me jeta un regard surpris puis un sourire de compréhension éclaira son visage.

— Ah oui... fit-il

— Je ne serai jamais une bonne pianiste. Même le professeur trouve que mes doigts ne conviennent pas. Ils sont trop vigoureux, selon lui, et plus faits pour jouer de la batterie ou faire de la menuiserie.

— C'est ce qu'il a dit ? s'esclaffa Peter. Eh bien, tiens le coup encore un peu, le temps que je persuade Pamela de trouver autre chose.

— Je ne veux pas non plus me présenter à des concours de beauté, continuai-je.

— Fais-le une ou deux fois, ça ne peut pas te faire de mal. Prends ça comme une expérience.

— Personne à l'école ne s'y présente et il y a des filles qui sont beaucoup plus jolies. Elles vont rire et se moquer de moi.

— Peut-être que tu gagneras. Et alors, elles ne riront pas du tout.

Il m'avait répondu avec une assurance telle que j'en vins à me demander si je n'avais pas quelque chance de gagner, finalement. Pamela avait peut-être raison.

— Est-ce que vous viendrez assister au match, samedi prochain ? demandai-je.

Cela faisait une semaine que j'en parlais mais Pamela faisait la sourde oreille.

— Bien sûr, dit-il. Il faudrait d'ailleurs que j'achète un Caméscope... Mais ne compte pas sur moi pour m'inscrire dans une ligue de parents supporters, avec casquette, badge et petit fanion.

Je ris de bon cœur.

Lorsqu'il aborda le sujet du match durant le dîner, Pamela refusa de s'y rendre.

— Sais-tu combien la peau souffre de passer tout un après-midi en plein soleil avec cette poussière qui vole partout et s'incruste dans les pores ? Dès que tu rentreras, plonge-toi dans la baignoire, lave-toi les cheveux et débarrasse-toi de la pollution.

Elle s'absorba dans une réflexion intensive quelques minutes puis se leva et contourna la table.

— Montre-moi tes mains, ordonna-t-elle.

Elle s'en empara et les palpa.

— C'est bien ce que je craignais, dit-elle à Peter. Sa peau devient rugueuse. Bientôt elle aura des cals.

— Vraiment ? s'écria-t-il en luttant contre le fou rire.

— Viens voir toi-même.

— Je te crois sur parole.

— C'est absolument ridicule. Une fille avec des mains de terrassier ! Monte dans ma chambre après le dîner. Je vais te donner une crème que tu mettras régulièrement. Quatre ou cinq fois par jour, au moins.

— Quatre fois par jour ? Même à l'école ?

— Bien sûr. Combien de temps va durer cette histoire stupide de base-ball ? demanda-t-elle avec une moue méprisante.

— Il ne reste plus que quatre matches à jouer. Quand je suis arrivée, la saison était déjà bien avancée.

— Tant mieux, marmonna-t-elle en regagnant sa place.

Je n'osai lui avouer que j'avais accepté de m'inscrire dans l'équipe de basket-ball. Après m'avoir vue échanger quelques passes avec des élèves plus âgées, Mrs. Grossbard m'avait demandé de faire des essais la semaine suivante. En plus de cela, elle espérait que je serais sélectionnée par l'équipe régionale, ce qui m'obligerait à suivre un entraînement spécial après la fin de la saison. Le sport était la seule discipline dans laquelle je me savais bonne — et je n'avais pas l'intention d'y renoncer.

Peter décida de m'emmener au match du samedi. Vêtue de mon uniforme, je dévalai l'escalier avec exubérance. Pamela, qui attendait sa masseuse, expliquait à Joline la composition d'une nouvelle décoction à base d'herbes qui allait, elle en était convaincue, retarder encore un peu les effets de l'âge. Dès qu'elle m'aperçut, ce fut un déluge de reproches.

— C'est ça, l'uniforme? Tu es habillée comme un garçon. Pourquoi ne mets-tu pas une jupe, au moins?

— Elles ne peuvent pas jouer en jupe, Pamela, protesta Peter en riant.

— Pourquoi pas?

— Il leur faut une tenue pratique pour courir et se jeter dans les bases.

— Pourquoi ces couleurs barbares et mal assorties?

— Ce sont les couleurs de l'école, protestai-je.

— Eh bien, la personne qui les a trouvées n'a guère de goût. N'oublie pas ce que tu dois faire dès que tu rentres.

Elle monta l'escalier tout en grommelant.

— Elle est très fière de toi, je t'assure, affirma sereinement Peter. C'est simplement que les activités physiques ne l'ont jamais intéressée.

Durant le trajet, il me parla de son goût pour le sport et du plaisir qu'il prenait à suivre des matches de football ou de tennis à la télévision.

— Je ne joue pas mal au tennis, se vanta-t-il. Un de ces jours, je t'emmènerai à mon club et nous frapperons quelques balles. Ça te plairait?

— Oui. J'ai toujours eu envie d'apprendre mais je n'en ai jamais eu l'occasion. Mon ancienne école n'avait pas de court mais, au Collège Agnès-Fodor, il y en a plusieurs.

— Bien. C'est un sport auquel Pamela pourrait s'intéresser. Elle trouve la tenue seyante.

La tenue? Les vêtements n'avaient rien à voir avec les raisons pour lesquelles un sport me tentait, que ce soit pour le regarder ou pour le pratiquer. Je commençais à me demander si Pamela et moi pourrions jamais nous comprendre. Et n'était-ce pas très important ? Avoir une mère qui comprenne vos rêves, vos désirs et vos espoirs ?

Tandis que nous roulions vers le stade, je réfléchis à l'équipe que nous allions affronter. Ces joueuses plus costaudes et plus combatives que nous avaient toujours remporté la victoire. Leur premier batteur était une grande fille afro-américaine un peu terrifiante. Sur le terrain, comme je m'apprêtais à lancer, mes coéquipières qui s'attendaient à un long coup, reculèrent légèrement. Mais je profitai de la taille de mon adversaire et visai bas. Elle rata deux balles et frappa la troisième si faiblement que le gardien de notre première base n'eut aucun mal à la rattraper. Mon équipe hurla de joie et mon inquiétude s'apaisa.

A chaque nouveau lancer, je pris de l'assurance. De temps en temps, je jetais un coup d'œil sur les gradins où Peter me souriait. Il avait apporté son Caméscope tout neuf et filmait la partie. Je jouai bien, frappai fort et nous gagnâmes le match.

Ce résultat inattendu anéantit nos adversaires. Mes coéquipières se précipitèrent autour de moi en hurlant comme si nous avions gagné la coupe du monde. Lorsque nous quittâmes le terrain, j'entendis l'entraîneur de l'autre équipe demander à Mrs. Grossbard où elle avait déniché un pareil phénomène.

Durant le trajet du retour, Peter ne retint pas son enthousiasme.

— Attends un peu que je montre le film à Pamela. Ta dernière balle a été une merveille, juste entre deux défenseurs. Comment as-tu fait pour viser aussi bien ?

— L'entraîneur de mon ancienne école m'a montré comment pivoter sur les pieds pour bien placer la balle, expliquai-je.

Peter était très impressionné et, pour la première fois depuis mon arrivée chez les Thompson, je me sentis fière de moi et persuadée de pouvoir leur faire partager cette fierté.

Lorsque nous arrivâmes à la maison, Pamela était toujours en train de mariner dans son bain de lait, traitement qui suivait chaque massage. Peter se hâta d'aller lui raconter le match. Je pris une douche, me lavai les cheveux et me changeai. Peter voulait nous emmener dans un restaurant très chic pour fêter la victoire. Mais pas avant d'avoir montré à Pamela quelques-uns des moments forts du match.

J'attendis dans le bureau. Ils descendirent enfin, Pamela plus belle et plus élégante que jamais. Peter mit la cassette dans le magnétoscope et alluma la télévision.

— Tu as bien lavé tes cheveux avec le shampooing que je t'ai acheté? demanda Pamela.

Il était évident que mes exploits de la journée ne l'intéressaient en rien.

— Oui, oui.

Elle passa les doigts dans mes cheveux et hocha la tête.

— Tu ne te rends pas compte à quel point le soleil peut les abîmer.

— J'avais une casquette.

— Elle ne couvrait qu'une partie du crâne, non?

— Voilà. Regarde ça, Pamela! cria Peter.

C'était mon premier coup, une longue balle sur la gauche du terrain.

Elle hocha vaguement la tête.

— Tu t'es mis de la crème sur les mains?

Je fis signe que oui, alors que j'avais complètement oublié cette partie du programme. Les yeux mi-clos, elle me palpa les mains d'un air soupçonneux.

— Elles sont très sèches.

— Ça, c'est quand elle envoie trois balles à leur meilleur batteur qui ne peut les rattraper. Du coup, elle va être éliminée. Regarde ces trois lancers, Pamela. Regarde.

— Monte dans ta chambre et passe-toi la crème sur les mains, ordonna-t-elle.

— Oui, je vais le faire.

— Voilà, Pamela. La troisième balle. Regarde ça. Là. Oh ! Bien joué ! Elle a pu faire le tour des bases.

— Ses muscles sont en train de s'épaissir, dit Pamela avec une grimace de dégoût. A ton âge, une fille ne doit pas être musclée. A aucun âge, d'ailleurs. Le sport va te rendre trop masculine. Pourquoi t'obstines-tu à pratiquer ces stupides activités ?

Mon cœur se serra. J'avais espéré qu'en voyant mes prouesses elle ne s'opposerait plus à ma participation aux sports que proposait l'école. Mais rien de ce que Peter avait filmé ne l'avait impressionnée.

— J'ai faim, Peter, geignit-elle lorsqu'il éteignit la télévision.

— Très bien. Nous sommes prêts. Alors, qu'en penses-tu ? demanda-t-il. C'est un petit Babe Ruth, le champion de base-ball, que nous avons là, non ?

— Je préférerais une petite Cindy Crawford, répliqua-t-elle. Dépêche-toi d'aller pommader tes mains, Brenda.

Je regardai Peter puis quittai la pièce. Lorsque je redescendis, ils m'attendaient dans la voiture.

— Tiens-toi droite, jeta Pamela en me regardant descendre le perron. Tu es trop voûtée. C'est à cause de tes épaules. Elles deviennent trop larges, à force de balancer ce gros truc en bois.

— Ça s'appelle une batte, marmonnai-je en m'asseyant.

Elle me darda un regard exaspéré puis, apercevant son reflet dans le miroir, s'inquiéta d'une rougeur apparue subitement sur sa joue droite. Cela l'occupa jusqu'au restaurant.

Il ne fut plus question du match.

En ce qui concernait Pamela, j'aurais aussi bien pu jouer comme une savate. Même Mrs. Talbot, la directrice de l'orphelinat, s'était plus réjouie de mes succès.

Peu avant la fin du dîner, je regardai Pamela et risquai cette question :

— Avez-vous déjà joué au base-ball, Pamela ?

— Moi ? Bien sûr que non ! Certainement pas, ajouta-t-elle avec un petit reniflement de mépris.

— Alors, comment savez-vous que vous n'aimez pas ce sport ?

— Comment ?

— C'est comme si vous n'aviez jamais goûté de caviar et que vous affirmiez ne pas l'aimer.

Elle se tourna vers Peter.

— Mais qu'est-ce qu'elle raconte ?

Peter sourit brièvement. Puis, pour la première fois, je vis son regard s'assombrir tandis qu'il jetait un coup d'œil à Pamela puis à moi.

Je détournai les yeux et pensai à l'impression merveilleuse que j'avais ressentie lorsque la balle s'était envolée. Aucune crème, lotion, décoction d'herbes et de vitamines ne pourrait me faire éprouver ce sentiment de plénitude. Que se passerait-il si Pamela m'ordonnait d'arrêter de jouer ? Pourrais-je jamais me sentir à nouveau en accord avec moi-même ?

7

L'épreuve du feu

Malgré mon manque d'enthousiasme et le dégoût que m'inspirait le professeur Wertzman, je fus capable au bout de cinq semaines d'exécuter une grossière interprétation de *When The Saints Come Marching In.* Pamela en conclut que j'avais assez de talent pour jouer quelque chose dès le premier concours. Ma participation à cet événement se faisant de plus en plus probable, elle décida de m'enseigner ce qu'elle appelait le tour de piste.

— La seule différence, c'est qu'au lieu de présenter les nouveaux modèles d'un couturier, tu te présentes toi-même, expliqua-t-elle.

Nous utilisâmes le couloir du rez-de-chaussée. La première chose qu'elle critiqua fut la longueur de mes pas.

— Tu ne marches pas, tu laboures comme une machine agricole. Il faut que tu glisses sur le podium, que tu flottes. Imagine que tu es faite d'air. C'est ce qu'on m'a appris. Doucement, doucement, sois féminine, doucement, répétait-elle en chantonnant tandis que j'allais et venais de la porte d'entrée à la salle à manger. Glisse. Cesse de ramer avec tes bras, détends-toi. Ouvre les mains. Tu ne vas quand même pas défiler avec les poings fermés! Tu ne souris pas, Brenda. Souris. Arrête!

Elle réfléchit un instant et reprit :

— Il ne faut pas que tu aies l'air de t'ennuyer ou d'être mal à l'aise. La beauté doit rayonner d'enthousiasme. C'est la devise qu'on m'a enseignée; tu dois te l'enfoncer dans le crâne et t'y conformer toute ta vie.

— Je me sens bête de faire ça.

— C'est une impression que tu dois surmonter. Ce que tu fais n'a rien de bête. C'est professionnel. Les jurés doivent sentir ton assurance.

— Mais je n'ai rien à faire dans un concours de beauté, protestai-je. Je ne suis même pas belle.

Levant les yeux au plafond, elle eut l'air de compter jusqu'à dix.

— Très bien, fit-elle enfin d'une voix radoucie. Viens avec moi.

Elle se dirigea vers l'escalier et attendit que je la rejoigne. Puis, prenant ma main, elle m'entraîna dans sa chambre.

— Assieds-toi, dit-elle en désignant la coiffeuse. Maintenant, regarde-toi dans la glace. Selon toi, qu'est-ce qu'il y a de pire dans ton visage?

— Tout.

— Erreur. Tu as reçu une bonne quantité de beauté naturelle. Il te suffit de faire ce que je dis, ordonna-t-elle en prenant un bâton de rouge à lèvres. Les lèvres très marquées sont de nouveau à la mode. Beaucoup d'ombre à paupières ne convient pas à toutes les jeunes femmes mais la plupart supportent les lèvres bien marquées. Si tu t'y connaissais un peu en esthétique, tu saurais que tu n'as pas ce qu'on appelle des lèvres pleines, si bien que tu dois fuir les teintes sombres. Il te faut des couleurs intenses. Les couleurs sombres te feraient une bouche trop petite. Bon, maintenant ouvre la bouche. Il faut que je suive exactement le contour de tes lèvres.

J'obéis et elle se mit au travail.

— Bien, fit-elle en reculant pour m'examiner.

comprenais pas. Pourquoi Pamela ne pouvait-elle m'accepter telle que j'étais? Et, si cela n'était pas possible, comment pourrait-elle jamais m'aimer?

Le lendemain, lorsque je compris que mes camarades m'appréciaient telle que j'étais, je me sentis plus à l'aise. Dans le car du matin, tout le monde voulut s'asseoir près de moi et parler du match. Ensuite, après avoir avoué qu'il boudait en général les matches de l'école, Mr. Rudley promit d'assister au prochain. Le collège avait enfin une star. Cette débauche de compliments me faisait rougir jusqu'aux oreilles. Je croisai soudain le regard de Heather. Son expression hargneuse me glaça.

Durant la pause du déjeuner, je reçus toutes sortes d'invitations. Chez les unes et les autres, à des soirées à venir, dans des clubs dont elles étaient membres. Lisa Donald, qui était l'une des meilleures joueuses de tennis de l'école, proposa de me donner des leçons sur son court privé.

— Tu pourrais venir chez moi le week-end prochain, dit-elle. J'inviterai des élèves de Brandon-Pierce.

Je savais qu'il s'agissait d'un collège de garçons des environs.

— Tu connais des gens de Brandon-Pierce? s'écria Heather d'un ton de défi.

— Oui, mon cousin Harrison. Il amènera un ami et nous pourrons faire un double, dit Lisa à mon intention.

Toutes les filles se mirent à baver de jalousie. Je dus avouer que je n'avais jamais joué au tennis.

— Jamais? Comment ça se fait? s'étonna Heather. Tes parents n'ont pas de court?

A l'entendre, il était aussi normal d'avoir un court de tennis qu'une salle de bains.

— Si.

— Eh bien, alors?

— Eh bien, je n'y ai jamais joué.

— Comment se fait-il que tu n'aies jamais joué au tennis alors que tu as un court chez toi? insista Heather en me collant son visage sous le nez.

— Qu'est-ce que ça fait? intervint Lisa. Elle va apprendre avec un excellent professeur : moi.

Les filles éclatèrent de rire tandis que Heather continuait à me fixer de ses petits yeux de fouine. Helen Baldwin se glissa devant elle pour me demander quelque chose au sujet d'une leçon de sciences sociales; après quoi, elle se mit à parler de Harrison, le cousin de Lisa.

— C'est un obsédé sexuel, déclara-t-elle, ce qui attira l'attention générale. N'est-ce pas, Lisa?

— Il y pense plus que tout autre garçon de ma connaissance, reconnut celle-ci. Quand nous avions sept et huit ans et qu'il venait chez moi, il ne voulait jouer qu'au docteur.

— Tu l'as fait? demanda Eva.

— Non, mais un jour il m'a poursuivie dans toute la propriété pour me persuader d'ôter ma culotte.

— Si c'était moi, je ne dirais pas non, dit Rosemary, ce qui les fit toutes s'esclaffer.

— Tiens, tu parles! railla Heather. Arrête de te vanter. Tu n'oserais jamais.

— Il est beau garçon. Tu l'as dit toi-même, Heather. Tu as dit que tu aimerais bien qu'il regarde de ton côté.

— J'ai jamais dit ça, espèce de menteuse!

— Qu'est-ce que tu as dit, alors? insista Lisa.

des Donald, fameux propriétaires du grand magasin local.

— Je savais bien que tu te lierais d'amitié avec des gens de qualité, remarqua-t-elle.

Qu'est-ce que ça voulait dire, des gens de qualité ? Qu'est-ce qui faisait que certaines personnes avaient plus de qualité que d'autres ? Etait-ce seulement une question d'argent ? Je ne trouvais pas les filles d'Agnès-Fodor plus gentilles ni plus malignes que celles de mon ancienne école. Elles souffraient des mêmes complexes, elles avaient les mêmes problèmes, les mêmes soucis.

En dépit des propos flatteurs de Mrs. Harper, ses filles, ses filles si parfaites étaient loin de l'être. Elles étaient simplement plus rusées. Dès que le professeur quittait la salle, elles trichaient sans vergogne. Elles fumaient dans les toilettes mais près de la fenêtre ouverte puis, après avoir jeté le mégot dans la cuvette, elles tiraient la chasse d'eau. Quant aux graffitis, quelqu'un écrivit sur mon casier : « Brenda porte un suspensoir » et Mrs. Grossbard dut se mettre à la recherche du concierge afin qu'il lui prête un flacon de détergent. Personne n'en dit mot à Mrs. Harper. A croire qu'il fallait impérativement la protéger de toute mauvaise nouvelle et la maintenir dans la bienheureuse certitude que ses filles étaient de petites perfections.

Peter revint de New York le vendredi soir. Pamela le fit asseoir dans un grand fauteuil à un bout du couloir et lui demanda de me regarder tandis que j'exécutais un tour de piste devant lui. Je m'attendais plus ou moins qu'il éclate de rire. Ce ne fut pas du tout le cas. Au contraire, il m'observa en silence avec une expression grave que je ne lui avais jamais vue.

— Eh bien ? demanda Pamela quand j'eus terminé.

— Formidable. Tu as fait un travail formidable, Pamela. Elle a l'air... plus âgée.

— C'est normal. Elle est devenue plus mûre, plus sophistiquée, plus sûre d'elle. Les Donald l'ont invitée à déjeuner demain.

Bien que l'événement ne me parût pas capital, elle me fit décrire en détail l'invitation, la proposition de Lisa de m'apprendre à jouer au tennis, le déjeuner avec de riches jeunes gens et le double que nous disputerions ensuite. Peter ne se départit pas de son air grave mais ses yeux, rivés sur moi, se mirent soudain à pétiller d'amusement.

— Tu n'as pas de match, samedi ? me demanda-t-il.

— Même si elle en avait un, elle irait chez les Donald, intervint Pamela.

Elle se trompait mais je préférai lui laisser croire ce qui lui faisait plaisir.

— Non. Le prochain match a lieu chez nous, le samedi suivant. Vous viendrez ?

— J'essaierai. Vu la façon dont se présente l'affaire Jacobi, je crains de n'avoir guère de temps libre ce mois-ci. Nous pensions qu'ils allaient se calmer mais, apparemment, ils ont décidé de sortir le grand jeu.

Pamela ne lui demanda pas d'explications. Je me rendis compte soudain qu'elle ne s'intéressait pas du tout au travail de son mari. Si, par chance, le client de Peter était une personnalité, sa curiosité s'éveillait mais ses questions portaient sur le personnage et non sur le litige qui l'obligeait à faire appel à un avocat de renom.

— Qu'est-ce qui se passe avec ce Jacobi ? demandai-je.

— Eh bien, l'affaire Jacobi... commença-t-il.

Pamela interrompit aussitôt ses explications pour lui demander s'il m'avait trouvé un sponsor.

— Qu'est-ce que ça veut dire? demandai-je. Pourquoi me faut-il un sponsor?

— C'est pour le concours de beauté. Toutes les filles doivent être sponsorisées, et pas par leur famille, expliqua Pamela. L'entreprise paie toutes les dépenses. Nous n'en avons absolument pas besoin mais c'est comme ça que ça se passe.

— Je me demande bien qui voudrait me sponsoriser...

— Des quantités d'entreprises en seraient enchantées, déclara Pamela d'une voix exaspérée. Peter?

— J'en reparlerai demain à Gerry Lawson, promit-il. Il m'a déjà donné oralement son accord. Ne t'inquiète pas, ajouta-t-il d'un ton apaisant.

J'allais donc vraiment participer à un concours de beauté? Moi? J'éprouvais une curieuse sensation dans la poitrine, comme si quelqu'un me chatouillait le cœur avec une plume. Sachant qu'exprimer la moindre répugnance risquait de plonger Pamela dans une humeur épouvantable, je gardai le silence.

Le samedi, Peter proposa de me déposer chez Lisa. Debout derrière moi, Pamela veilla à ce que je me maquille selon ses goûts.

— Qui sait qui tu vas rencontrer... dit-elle.

Elle nous accompagna afin d'apercevoir la maison des Donald. Chose incroyable, celle-ci se révéla plus majestueuse que la nôtre. Le parc était plus vaste et la piscine plus grande. Au loin, on apercevait deux courts de tennis en terre battue et une maison d'amis. Pamela s'extasia sur le style renaissance grecque de la demeure et elle envia la porte d'entrée en retrait.

— C'est exactement ça que je veux, gémit-elle. Nous devrions faire refaire notre porte.

— La nôtre est parfaite, Pamela, protesta Peter.

Elle eut une moue de dépit. Mais dès que je mis pied à terre, son visage s'éclaira et elle me recommanda de me souvenir de toutes les bonnes manières qu'elle m'avait enseignées.

— Surtout à table, lança-t-elle derrière moi.

Je leur fis au revoir de la main et courus sonner à la porte.

Lisa m'ouvrit elle-même. Elle portait déjà sa tenue de tennis.

— Tu es un peu en avance, tant mieux. Entre, dit-elle avant que j'aie pu lui dire bonjour.

Elle prit ma main et me fit traverser la grande maison au pas de course. Je ne pus qu'apercevoir brièvement les vastes pièces aux meubles de style et aux murs couverts de tableaux; la décoration classique me parut très différente de la nôtre.

Nous sortîmes par une porte de côté et nous dirigeâmes vers l'un des courts de tennis. Une étrange machine était installée sur le côté.

— Qu'est-ce que c'est?

— Un renvoyeur de balles. C'est papa qui l'a acheté pour que nous nous entraînions. Tu vas voir.

Elle me donna une raquette, l'une des meilleures selon elle. Puis elle me montra comment la tenir et les différentes façons de frapper la balle. Tenir le rôle du professeur l'enchantait.

— C'est la première fois que je vois quelqu'un qui n'a jamais tenu de raquette, déclara-t-elle sans toutefois insister sur le sujet comme Heather l'aurait fait.

Bien qu'elle ait été quasiment élevée sur un court de tennis, Lisa n'était pas une très bonne joueuse. Il ne me fallut pas longtemps pour acquérir les gestes de base et renvoyer correctement la balle. J'avais beau ne pas frapper fort, elle parvenait rarement à la rattraper. Je compris vite qu'il me suffisait de placer la balle sur un côté du court puis de la renvoyer un peu plus fort de l'autre côté. La voyant s'agacer, je revins au centre.

— Quelle sacrée athlète tu fais ! s'exclama-t-elle avant de me jeter un regard soupçonneux. Tu m'as menti ? Tu as déjà joué au tennis ?

— Non, protestai-je en secouant la tête. C'est la première fois, je t'assure.

— Ça me paraît bizarre, surtout maintenant que je vois comment tu joues.

Je sentis qu'elle commençait à douter de ma bonne foi.

— Je n'ai jamais joué, répétai-je. Promis, juré.

Elle parut convaincue. De toute façon, il n'était plus temps de discuter : Harrison et son ami se dirigeaient vers nous en riant.

Mes camarades de classe avaient raison : Harrison était un beau garçon. Grand et mince, les cheveux et les yeux noirs, les pommettes saillantes et la bouche bien dessinée, il était tout de blanc vêtu à l'exception d'une fine rayure noire qui ornait le col et les manches de son polo. Avec, en prime, le sourire et l'air arrogants typiques du jeune homme qui se sait beau et riche.

Son camarade avait un corps plus trapu, des cheveux clairs, un visage rond et des yeux bleus. Sa lèvre inférieure légèrement proéminente et ses joues pleines lui donnaient une allure enfantine.

— C'est ta championne de base-ball ? demanda Harrison en me désignant.

Un sourire obséquieux se plaqua sur le visage mou de son ami.

— Brenda, je te présente mon cousin Harrison, dit Lisa.

— Salut, fit celui-ci. Voici Brody Taylor. Brody, tu connais ma cousine Lisa?

— Oui, dit Brody. On s'est déjà rencontrés.

— Es-tu aussi bonne au tennis qu'au base-ball? me demanda Harrison.

— Non. Je viens de prendre ma première leçon.

— C'est Lisa, le professeur? s'esclaffa-t-il. L'aveugle enseignant au paralytique!

— Ah bon? fit Lisa en me jetant un sourire en coin. Faisons une partie, les garçons contre les filles.

— Elle est gagnée d'avance, ricana Harrison.

— Nous en prenons le risque.

— Qu'est-ce qu'on parie?

— Qu'est-ce que tu veux parier?

— La virginité, rétorqua-t-il.

Lisa devint rouge comme une tomate et Brody lâcha un petit rire nasal qui lui secoua le corps entier.

— Tu es toujours vierge? demandai-je d'un ton narquois à Harrison.

La partie de tennis avait apparemment déjà commencé, les mots remplaçant la balle. Cette fois-ci, ce furent les joues de Harrison qui s'enflammèrent.

— D'accord, parions vingt dollars, suggéra-t-il.

— Très bien, fit Lisa.

— Vingt dollars! m'exclamai-je. Je n'ai pas emporté d'argent.

— Ne t'inquiète pas pour ça, dit Lisa. Tu pourras toujours me rembourser à l'école si jamais nous perdons.

— Qu'est-ce que tu racontes? Tu veux dire

quand vous aurez perdu, répliqua Harrison, déclenchant à nouveau le fou rire de Brody.

— Je ne connais même pas les règles du jeu, murmurai-je à l'oreille de Lisa.

— Contente-toi de garder la balle à l'intérieur des lignes, répondit-elle. Echauffez-vous, tous les deux, ajouta-t-elle à l'intention des deux garçons.

— Nous n'en avons pas besoin, n'est-ce pas, Brody ?

Celui-ci haussa les épaules. Ils sortirent leurs raquettes des étuis et allèrent se placer de l'autre côté du filet.

— Je vais servir en premier, me dit Lisa.

Mon cœur s'emballa. Vingt dollars ! Ils en parlaient comme s'il ne s'agissait que de quelques pièces de monnaie.

La partie commença. Harrison jouait bien mais Brody avait des réactions trop lentes. Je remarquai qu'il était perpétuellement en déséquilibre. Certaines qualités sont communes à tous les sports : la façon de se tenir, le sens de l'équilibre, la forme physique et la rapidité. Il me suffisait de frapper la balle avec force en visant Brody. La plupart du temps, il la renvoyait hors des limites ou dans le filet. Au fur et à mesure que Lisa et moi marquions des points, la colère s'emparait de Harrison. Il s'en prit à Brody, ce qui ne fit qu'aggraver son jeu. Lorsque la partie s'acheva sur notre victoire, Harrison jeta sa raquette sur le terrain.

— Tu as menti ! cria-t-il à Lisa.

— Comment ?

— Tu ne viens pas de lui montrer comment jouer. Personne ne frappe la balle comme ça après une seule leçon.

— Je n'ai pas menti, protesta Lisa en plantant

ses poings sur les hanches. C'est ce qu'elle m'a dit. N'est-ce pas, Brenda ?

— C'est vrai, affirmai-je. Ne parlons plus de l'argent, ajoutai-je devant son air furieux.

— On s'en fout, de l'argent, grommela-t-il. Brody, donne-lui vingt dollars.

— Vingt dollars ? ronchonna-t-il. Pourquoi c'est à moi de tout donner ?

— Parce qu'à cause de toi deux filles d'Agnès-Fodor nous ont ridiculisés, voilà pourquoi.

Brody sortit de sa poche une liasse de billets et en préleva deux. Il les tendit à Lisa qui m'en passa un.

— Je n'en veux pas, dis-je.

— C'est parce que tu as menti, hein ? jeta Harrison.

— Non. C'est parce que je n'ai pas besoin d'argent et que j'ai joué pour le plaisir.

— Bon, comme tu veux, dit-il. Allons manger quelque chose maintenant.

Lisa ne pouvait retenir un sourire satisfait. Harrison ramassa sa raquette et nous remontâmes à la maison où un repas nous attendait. Tant de plats différents nous étaient proposés — viandes, salades, pains variés —, qu'il me parut digne d'une réception de mariage mais, pour eux, ce n'était qu'un déjeuner comme un autre.

— Où sont tes parents ? demanda Harrison à Lisa.

Nous étions installés dans le patio, autour d'une table recouverte d'une nappe blanche, et servis par des domestiques qui, discrètement, remportaient les assiettes sales, en disposaient d'autres, rechargeaient les plats et servaient à boire.

— Au club de golf, répondit-elle entre deux bouchées.

La faim due à l'exercice physique et la nourriture

délicieuse me firent oublier les consignes de Pamela et je me mis à manger avec appétit.

— Tu meurs de faim ou quoi ? demanda Harrison.

— J'ai oublié de prendre un petit déjeuner.

C'était faux mais, ce genre d'oubli étant fréquent chez les jeunes gens de leur espèce, il crut mon excuse.

— Pourquoi as-tu mis tant de temps pour débouler dans le coin ?

— Comment ? fis-je en regardant Lisa.

— Il veut dire, pour aller à Agnès-Fodor.

— Oh, je ne sais pas. Ce sont mes parents qui ont décidé tout à coup que je devais y aller.

Il m'examina longuement et sourit.

— Ils sont vrais ?

— Comment ?

— Ces nichons, ce sont des vrais ?

— Harrison ! protesta Lisa.

— Je pose la question, c'est tout. Y a pas de mal à s'informer, n'est-ce pas, Brody ?

Brody, dont le visage était à demi enfoui dans la salade de homard, leva les yeux et hocha la tête. Ses joues avaient du mal à contenir tout ce qu'il y avait fourré.

— Eh bien ? insista Harrison.

— Ça ne te regarde pas, répondis-je.

Il pouffa de rire.

— En général, ça veut dire non, n'est-ce pas, Brody ?

Brody hocha la tête avec vigueur.

— C'est la marionnette dont tu tires les fils ? demandai-je.

Harrison rit de nouveau.

— Cette fille est super, Lisa. Plus marrante que ces cruches que tu appelles tes amies.

Il se pencha en travers de la table et me regarda dans les yeux.

— Je vais t'inviter chez moi pour un petit tête-à-tête.

— Comment?

— Un simple, au tennis, précisa-t-il en se renversant contre le dossier de sa chaise. A moins que tu n'aies envie de faire autre chose?

— Avec toi, rien.

— Pourquoi donc? Tu as peur pour ta virginité?

Brody, dont la bouche s'était enfin dégagée, se mit à glousser.

— Non, répondis-je. Pour ma réputation.

Le gloussement de Brody se mua en éclat de rire.

— Ta gueule, toi! lui jeta Harrison.

Il me fusilla du regard.

— J'invite pas n'importe qui chez moi.

— Voilà qui me surprend.

Brody dut se mordre les lèvres pour contenir un autre accès d'hilarité. Ce qui n'échappa pas à Harrison.

— Vous voulez écouter un peu de musique? proposa Lisa d'une voix tendue.

Il lui jeta un regard agacé.

— Pour quoi faire? J'ai perdu assez de temps comme ça... Je viendrai peut-être te regarder jouer lors de ton prochain match, ajouta-t-il à mon intention en se levant de table.

— Très bien.

— Tâche de ne pas louper la balle et de ne pas te faire éliminer, dit-il avec un sourire suffisant, sinon je ferai rire ma marionnette.

— Voilà une bonne raison pour me pousser à bien jouer.

Brody s'essuya en hâte la bouche, remercia Lisa pour le déjeuner et courut à la suite de Harrison.

Nous gardâmes le silence jusqu'à ce qu'ils soient partis puis Lisa se tourna vers moi.

— Ben dis donc! Tu l'as mouché. C'est la première fois que je vois ça. Il n'en a pas l'habitude; la plupart de mes amies se pâment devant lui.

Elle inclina la tête et me dévisagea avec curiosité.

— Qu'est-ce qu'il y a? demandai-je.

— Tu es différente.

— Qu'est-ce que tu veux dire? demandai-je tandis que mon cœur se mettait à cogner comme un petit marteau fébrile.

— Je ne sais pas. Tu es pleine de surprises, comme lorsque tu as réussi ce coup de circuit. Mais, ajouta-t-elle en se mettant debout, c'est pour ça que tu me plais. Viens, allons écouter de la musique tout en bavardant.

Je la suivis dans la maison avec le sentiment d'être une tricheuse. Mais ce qui me tourmentait, ce n'était pas tant de mentir à ma nouvelle amie que de me mentir à moi-même.

En vérité, les seuls moments où j'avais l'impression d'être honnête étaient ceux où je pratiquais un sport. Le vrai moi ne pouvait alors être caché.

Harrison serait déçu. Il n'était pas question que je me fasse éliminer.

8

Festin de moustiques

Nous perdîmes le match suivant mais pas par ma faute ni parce que nos adversaires furent excellentes. Notre équipe commit trop d'erreurs, la plus grosse étant celle de Cora Munsen qui ne put attraper une balle pourtant facile. Le regard qu'elle me lança aussitôt me fit supposer qu'elle l'avait fait à dessein afin de ternir ma réputation. Ce que dut soupçonner aussi Mrs. Grossbard qui interrogea Cora pendant que nous nous changions dans les vestiaires.

— Tu n'avais pas le soleil dans les yeux et tu étais bien placée. Qu'est-ce qui s'est passé, Cora?

— Je ne sais pas, dit-elle en regardant fixement le carrelage.

— En tout cas, je ne comprends pas. N'importe qui aurait pu rattraper cette balle, insista Mrs. Grossbard.

Cora garda le silence.

— C'est peut-être de la nervosité, dis-je. Ça m'est déjà arrivé. Je ne pense qu'à renvoyer la balle alors que je ne l'ai pas encore attrapée.

En fait, à moi, cela n'était jamais arrivé mais à d'autres, si, et à maintes reprises. Cora releva la tête.

— Oui, dit-elle avec un air soulagé. Je pense que c'est ça.

Mrs. Grossbard ne parut pas convaincue.

— Eh bien, il ne faut pas que ça se produise lors du match contre Westgate, samedi prochain. Si elles nous ont battues lors des trois dernières rencontres, jamais nous n'avons été aussi près de prendre notre revanche.

— Promis, dit Cora.

Mrs. Grossbard colla dans les vestiaires des affichettes portant ces mots : « Westgate, on les aura. » Je me rendis vite compte qu'une véritable rivalité opposait les deux écoles et, plus la semaine s'écoulait, plus la tension se faisait forte. Me concentrer successivement sur mes exercices de piano, mes leçons de maintien, mon travail scolaire et l'entraînement de base-ball était très difficile.

Le mercredi soir, le professeur Wertzman piqua une grosse colère.

— On dirait que tu as tout oublié. De telles erreurs sont indignes d'une élève censée travailler régulièrement !

Il bondit sur ses pieds et, secouant la tête avec fureur, me fusilla du regard.

— Je suis désolée. Je fais de mon mieux.

— Non, tu ne fais pas de ton mieux. Je sais reconnaître un élève qui se donne du mal. J'ai fait des promesses à ta mère et tu les rends impossibles à tenir.

Mes yeux s'emplirent de larmes. Je baissai la tête et attendis que sa colère s'apaise.

— Je vais être la risée de tout le monde, marmonna-t-il. Ma réputation, c'est mon gagne-pain. Je dois la protéger.

Son regard laissait entendre que je n'étais même pas digne de me tenir en sa présence. Mes lèvres se mirent à trembler. C'est à ce moment-là que Pamela entra. Juste après le dîner, son capilliculteur était venu lui administrer un nouveau traitement qui était censé rendre ses cheveux plus soyeux et plus épais. Je ne remarquai rien de spécial.

— Que se passe-t-il ? demanda-t-elle en plantant ses poings sur les hanches.

Le professeur me désigna du menton en secouant la tête.

— Sans l'attention et la bonne volonté de l'élève, je ne peux obtenir aucun résultat.

— Brenda, tu ne fais pas d'efforts ?

— Si. Je fais de mon mieux. Mais je ne suis pas aussi bonne qu'on le dit, c'est tout.

— Qui le dit ? s'exclama le professeur, outré. Si tu ne t'exerces pas, tu ne peux pas être bonne. Tu ne travailles pas suffisamment.

— Si, je m'exerce.

— Vous dites qu'il lui faudrait s'exercer davantage ? demanda Pamela.

— Au rythme où elle va, il le faut absolument. Au moins quatre heures de plus par semaine.

La prescription me fit l'effet d'une cuillerée d'huile de foie de morue, ou d'un coup de fouet en travers des reins.

— Quatre heures de plus ? Quand donc pourrais-je en trouver le temps ?

Pamela me jeta un regard froid.

— Vu les sacrifices et les frais que Peter et moi faisons pour toi, dit-elle en articulant soigneusement, tu pourrais au moins fournir l'effort d'en trouver le temps. Désormais, elle travaillera quatre heures de plus tous les samedis, précisa-t-elle au professeur qui parut satisfait.

— Je ne peux pas travailler quatre heures de plus le samedi, et en tout cas pas samedi prochain. C'est le plus grand match de l'année.

— Le match ? demanda le professeur en jetant à Pamela un regard interrogateur.

— N'écoutez pas ce qu'elle dit, professeur

Wertzman. Je vous en prie, expliquez-lui les exercices qu'elle doit faire samedi prochain.

Elle riva sur moi des yeux froids comme des pierres.

— C'est ce soir que je t'inscris à l'audition pour le concours de beauté, Brenda. Tu dois être prête... Non, fit-elle en levant la main pour m'empêcher de parler, je ne veux plus entendre un mot sur ce sujet.

— Mais il faut que je joue samedi prochain, c'est très important. Tout le monde compte sur moi ! criai-je sans me soucier de l'interdiction.

Elle leva les yeux au plafond, comme en proie à de grands tourments, puis reprit, sans me regarder :

— La décision est prise. S'il se produit d'autres incidents de ce genre ou si le professeur se plaint à nouveau de toi, j'appellerai Mrs. Harper et lui dirai que tu n'as plus le droit de faire partie d'aucune équipe, que ce soit de base-ball, de football ou de n'importe quoi.

Sur cette menace, elle fit demi-tour et s'éloigna en martelant le sol de ses talons aiguilles.

Le professeur revint à moi.

— Tourne la page, dit-il. Et recommence.

Les larmes me brouillant la vue, les notes prirent des contours fantomatiques. Une boule m'obstruait la gorge et m'empêchait de respirer. J'obéis cependant mais le reste de la leçon, sous l'haleine lourde du professeur qui ne cessait de taper sur le clavier quand quelque chose lui déplaisait, tint de la torture. Terrifiée à l'idée qu'il n'aille de nouveau se plaindre de moi, j'endurai chaque seconde en serrant les dents.

La séance achevée, je me levai et quittai la pièce à la hâte. L'élégant escalier vibra sous mes pas tandis que je montais en courant dans ma chambre. Je claquai la porte derrière moi et m'assis à mon bureau, dans un état de fureur tel qu'il me fut impossible d'ouvrir mes cahiers.

Quelques minutes plus tard, on frappa.

— Entrez.

Peter ouvrit la porte.

— Je t'ai vue passer en courant devant le bureau et la maison a failli s'écrouler sur ma tête. Quel est le drame d'aujourd'hui ?

— Le professeur de piano trouve que je joue très mal et il veut que je m'exerce au moins quatre heures de plus par semaine. Pamela dit qu'il faut que je le fasse le samedi et, samedi prochain, c'est le match le plus important de l'année. Elle dit que si je rouspète encore, elle va téléphoner à Mrs. Harper pour qu'on me retire de toutes les équipes sportives. Ce n'est pas juste !

— Ça me paraît très sévère, effectivement.

Il me regarda attentivement et soudain ses yeux s'éclairèrent.

— Et si tu te levais un peu plus tôt pour travailler ton piano avant d'aller en classe ?

— Ce n'est pas quelques exercices de plus qui m'aideront. Je ne suis pas douée pour le piano.

— Si tu le fais, moi, je veillerai à ce que Pamela n'appelle pas Mrs. Harper.

Et voilà ce qui s'appelait une négociation rondement menée, pensai-je ; mon juriste de père adoptif était un champion dans sa spécialité. J'avais déjà avancé l'heure de mon réveil afin de me maquiller comme le désirait Pamela. A ce rythme, je finirais par ne plus me coucher du tout. Mais quel choix avais-je ? Une orpheline dont l'adoption légale était en cours n'avait aucun droit, et surtout pas celui d'éprouver des dégoûts ou des envies. Si je désirais des parents, un foyer, un nom, il me fallait obéir. Pamela parlait d'une audition pour être admise au concours de beauté mais ce que je faisais en réalité, c'était une audition pour devenir sa fille.

— D'accord, dis-je. Je travaillerai avant le petit déjeuner.

— Bien. Encore une crise de réglée, déclara-t-il avec un claquement des doigts.

Puis il descendit annoncer à Pamela quelle solution avait été trouvée.

Malgré ma détermination, mon nouvel emploi du temps se révéla accablant. En particulier durant les cours de la matinée. Je me traînais le long des couloirs et m'écroulais sur ma chaise comme un vieux chiffon. A deux reprises, je m'assoupis en plein milieu du cours d'anglais et, comme je ne répondais pas à ses questions, Mr. Rudley dut me secouer l'épaule. J'avais beau avoir les yeux ouverts, je n'avais rien entendu. Mes excuses furent peu convaincantes.

Seul l'entraînement de base-ball me faisait renaître à la vie. Sans doute grâce à l'air frais. La troisième semaine de mai avait commencé. Le feuillage était abondant et d'un vert vif. Deux nuits de pluie avaient apporté des quantités d'éphémères dont la voracité provoqua les plaintes de mes camarades. Le terrain était lourd et parsemé de flaques. A la fin de la séance, nous étions maculées de boue et couvertes de piqûres d'insectes sur les bras et le cou.

Ce dont je ne me souciais aucunement. Je me sentais bien dans ma peau mais mes coéquipières demandèrent à Mrs. Grossbard s'il n'était pas possible de faire assécher et traiter le terrain à l'insecticide. Où qu'elles aillent, quoi qu'elles fassent, ces filles trop gâtées s'attendaient que quelqu'un leur aplanisse les petites difficultés de l'existence.

Evidemment, lorsque je rentrai à la maison et que Pamela vit ma peau piquetée de taches rouges, elle fut prise d'une crise d'hystérie. Tout d'abord, elle crut à une réaction alimentaire et m'accusa de grignoter des confiseries à l'école. Puis elle soupçonna une allergie à la pollution et décrocha le téléphone pour appeler son dermatologue. Lorsque je parlai des moustiques, elle reposa l'appareil et me regarda comme si j'étais devenue folle.

— Comment? Tu t'es fait piquer par des insectes? C'est répugnant. Monte tout de suite prendre un bain. Tu ne comprends pas que tu risques de te bousiller la peau alors que l'audition n'est que dans quelques semaines?

— Ces piqûres s'effacent très vite. La prochaine fois, je mettrai une crème antimoustiques, répondis-je avec un calme qui ne fit qu'accroître sa fureur.

— Pas question que tu te mettes je ne sais quel produit chimique sur la peau! Tu m'as déjà vue faire une chose pareille? Allez, monte! ordonna-t-elle.

A ma grande surprise, elle m'entraîna dans sa propre salle de bains. Après avoir littéralement arraché mes vêtements, elle me poussa dans une petite pièce qu'elle appelait « étuve ». Elle appuya sur un bouton et ressortit aussitôt. La vapeur envahit la cabine. Très vite, j'eus l'impression de me faire ébouillanter et criai que cela suffisait. La vapeur continua à s'infiltrer. En tâtonnant, je trouvai la poignée de la porte que je tournai en vain.

— Pamela! C'est trop chaud!

A demi asphyxiée, je m'allongeai sur le sol qui était l'endroit le plus frais et attendis. Près de dix minutes plus tard, la porte s'ouvrit.

— Dehors ! cria-t-elle.

Prise de vertiges et de nausées, je me laissai examiner des pieds à la tête.

— Bien, fit-elle.

— C'était trop chaud là-dedans.

— C'est ce qu'il faut pour extirper le poison. Maintenant, tu n'as plus qu'à prendre le bain que Joline t'a préparé.

A peine eus-je mis le pied dans la baignoire que Pamela s'empara d'une brosse et se mit à me frotter énergiquement. Ma peau devint encore plus rouge qu'avant. Elle versa dans l'eau toutes sortes d'huiles et me lava les cheveux avec une telle vigueur que je craignis de devenir chauve. Puis elle m'ordonna de sortir.

Epuisée, j'obéis et m'essuyai. Trop lentement au goût de Pamela, ce qui la fit hurler à nouveau.

— Sèche-toi les cheveux.

Elle s'apprêtait à me draper d'une serviette lorsqu'elle suspendit son geste et examina mon corps avec insistance.

— Qu'est-ce qu'il y a ? demandai-je.

Elle secoua la tête d'un air consterné.

— Ça continue. C'est même pire. Tu as l'air trop... masculine. Il n'y a aucun endroit un peu doux, un peu tendre. Même tes seins ont l'air de petites boules de muscles. Je veux que mon médecin t'examine.

— Un médecin ? Pourquoi ?

— J'ai peur que tu ne te développes pas correctement, déclara-t-elle. Je vais prendre un rendez-vous.

— Je me sens très bien.

— Eh bien, moi, je ne trouve pas que tu aies l'air bien. Peut-être as-tu besoin d'hormones féminines. Je ne sais pas. Laissons le médecin décider, dit-elle en quittant la pièce.

J'étais si fatiguée que j'eus du mal à tenir le sèche-cheveux. Une fois habillée, je descendis pour le dîner. Jamais je ne m'étais sentie aussi épuisée. Peter était de nouveau en voyage et il n'était pas sûr qu'il soit de retour pour le match de samedi. Pamela entama un long sermon sur la nécessité de se protéger la peau.

— Le maquillage est efficace mais il n'est pas omnipotent, déclara-t-elle d'un ton docte. Et les jurés s'approchent si près des candidates qu'aucune imperfection ne leur échappe. Tout est pris en compte. S'ils voient une rougeur sur ton cou, ils t'éliminent, quelles que soient tes notes dans d'autres domaines. Surtout les jurés masculins.

Elle s'interrompit le temps de respirer puis reprit d'un ton critique :

— Pourquoi ne manges-tu pas?

— Je suis restée trop longtemps dans l'étuve, ça m'a coupé l'appétit.

Ce qui la lança dans une nouvelle tirade.

— Ce n'est pas à cause de l'étuve. Se débarrasser des poisons rend au contraire le corps plus vigoureux. C'est la faute de ce stupide base-ball. Tu es restée trop longtemps au soleil, la proie des moustiques qui ont rempli de saleté les pores de ta peau. Et tu ne mets pas assez de crème sur les mains, ajouta-t-elle.

Elle me regardait tout en pianotant nerveusement sur la table tandis que Joline s'affairait le plus discrètement possible autour de nous, changeant les assiettes, rectifiant l'argenterie, remplissant d'eau nos verres. Je regardai Pamela. Chaque cheveu était à sa place. Son maquillage était parfait. Elle avait l'air d'être prête à poser devant un photographe. Il me vint à l'esprit qu'elle se donnait plus de mal pour paraître belle que la plupart des gens pour accomplir leur travail.

Le leçon de piano qui suivit le dîner accrut mon épuisement. Dès le début, le professeur Wertzman parut sentir à quel point j'étais fatiguée mais, au lieu de me faciliter les choses, il ne cessa de souligner mes erreurs et me fit répéter indéfiniment chaque exercice. A un moment, il s'emporta et me frappa la main gauche. Pas au point de me faire mal mais ma surprise fut telle que je ressentis une décharge électrique jusqu'au cœur et en perdis le souffle.

— Non, non, non! glapit-il. Non, non, non! Recommence. Recommence!

Comme les autres fois, à la fin de la leçon, j'étais au bord des larmes. Je montai dans ma chambre et regardai d'un œil hagard le travail scolaire qu'il me restait à faire. Trop fatiguée pour commencer les exercices écrits ou même ouvrir un livre, je m'endormis sur mon bureau et ne me réveillai dans un sursaut qu'en entendant la porte s'ouvrir.

— Qu'est-ce que tu fais? demanda Pamela.

Je me frottai les yeux et puis les écarquillai sur le manuel ouvert.

— Je finissais mes mathématiques.

— Je veux examiner ta peau, dit-elle en inspectant mon cou. Je vais appeler Mrs. Harper demain et lui faire part de mon mécontentement. On ne devrait pas vous laisser jouer dehors tant que le terrain est infesté de ces horribles insectes.

— Non, je vous en prie, ne faites pas ça, Pamela.

Je me protégerai le cou. C'est promis. Demain, je ne serai pas piquée. Je vous en prie.

— C'est ridicule. Complètement. Faire courir de tels risques à de jolies filles, c'est stupide. Le sport, c'est pour les garçons. Leur peau est plus épaisse que la nôtre. Leurs muscles sont plus gros.

— L'autre jour, Lisa Donald et moi, nous avons battu au tennis son cousin Harrison et son ami.

Elle me jeta à nouveau ce regard étrange que je commençais à connaître et dans lequel se lisait un mélange d'ahurissement et de consternation.

— J'ai entendu dire que certaines filles souffrent de déficiences hormonales qui les font penser et se comporter comme des garçons. Je me demande si tu n'es pas atteinte de cette maladie. Au lieu de te glorifier de les battre au tennis, tu devrais chercher à attirer leur regard, à les séduire, à les émouvoir. Et en tirer gloire... Ton rendez-vous chez le médecin est pour jeudi prochain, juste après l'école. Alors ne traîne pas en route et reviens tout de suite.

— Je n'ai pas besoin d'aller chez le médecin.

— Je suis ta mère, maintenant, et je te dis qu'un médecin doit t'examiner... Je sais, reprit-elle avec un sourire cruel, que tu n'as pas l'habitude qu'on s'occupe autant de toi, Brenda, mais c'est comme ça quand on a des parents. Tu devrais te montrer reconnaissante et non te rebeller. J'aimerais entendre un merci de temps en temps au lieu de ce flot incessant de protestations. Tout ça, c'est à cause de cette passion ridicule pour le base-ball.

— Je vous suis reconnaissante. Mais je ne comprends pas pourquoi je dois voir un médecin. Je ne suis pas malade, tout va bien.

— Pour éviter de tomber malade, il faut aller régulièrement chez le médecin. Tu ne comprends pas ça? Réponds!

— Si.

Je m'efforçais de respirer à fond tout en gardant les yeux rivés sur mon livre de mathématiques.

— Alors ? insista-t-elle.

— Merci, Pamela.

— Voilà qui est mieux... Oh, reprit-elle avant de sortir, Peter a appelé. Il ne sera pas rentré à temps pour assister au festin de moustiques samedi prochain. Il faudra que tu te débrouilles pour t'y rendre par tes propres moyens. J'ai justement pris un rendez-vous très important ce jour-là chez mon dermatologue. Il a reçu un traitement tout nouveau pour rajeunir la peau, une découverte capitale qu'il veut me montrer. Bonne nuit.

Cette dernière séance m'avait anéantie. Toutes les affirmations de Pamela, ses ordres, ses menaces, ses suppositions ricochaient dans ma tête comme des balles de tennis. J'abandonnai mon manuel, comme d'autres soirs précédents, ce dont souffraient mes résultats scolaires.

— Si tes notes ne remontent pas, me dit Mr. Sternberg en présence de toute la classe, l'année prochaine tu seras privée d'activités extrascolaires.

C'est-à-dire de tous les sports.

Je sentis mon cœur se rabougrir comme un ballon dégonflé. Je regardai mes camarades. Toutes avaient l'air de compatir, sauf Heather, bien sûr, dont les yeux brillaient de jalousie. Même Cora Munsen semblait me plaindre. Le cours achevé, elle me rattrapa dans le couloir et murmura à mon oreille :

— Si tu as besoin d'aide pour le devoir de lundi prochain, je te passerai mon brouillon.

Elle s'éloigna, laissant la place à Rosemary Gillian.

— Si tu sèches sur l'exercice de maths, dis-le-moi, tu pourras recopier le mien pendant le déjeuner.

Au souvenir des propos de Mrs. Harper, je souris en moi-même.

Les filles d'Agnès-Fodor ne trichaient pas. C'étaient des enfants exceptionnelles, cultivées, vertueuses, raffinées, la crème des crèmes, issues des meilleures familles.

Désolée, Mrs. Harper. Le Collège Agnès-Fodor ne différait des autres que par son emblème, tissé de mensonges.

9

Le plus beau jour de ma vie

Le match du samedi attira une véritable foule de supporters et de curieux. Il faisait un temps idéal. Quelques nuages, semblables à des bouffées de fumée, traversaient le ciel d'un bleu très pâle. Une légère brise rafraîchissait les spectateurs assis sur les gradins.

Mes parents ne pouvant m'emmener, Rosemary avait demandé à son frère de venir me chercher. David fréquentait une école publique, ce que je trouvai bizarre jusqu'à ce qu'il m'explique que, s'étant lié d'amitié avec des jeunes de son quartier, il avait voulu rester avec eux.

— Mais je connais aussi des filles de Westgate, me dit-il tandis que nous roulions. Apparemment, tout le monde attend cette partie avec beaucoup d'intérêt, plus encore que certains matches entre garçons. On dit que ça va être très serré.

Ce qui se révéla un euphémisme. Les élèves de Westgate étaient plus costaudes et plus déterminées que toutes nos adversaires précédentes. Allonger la liste des victoires déjà remportées contre Agnès-Fodor était un point d'honneur. Il n'était pas question de perdre contre ces nullasses de filles gâtées, pourries, etc.

Mais notre équipe aussi était très déterminée. Mrs. Grossbard mit à profit le moment où nous nous changions pour nous exhorter.

— Tout le monde, dehors, pense que vous êtes des poules mouillées prêtes à vous écrouler sous la première pression comme cela s'est déjà produit des quantités de fois. Mais un nouvel esprit règne dans l'équipe et vous avez toutes fait des progrès, dit-elle en me regardant. Je suis fière de vous, mes enfants. Allez-y et montrez-leur de quel bois vous vous chauffez.

Un hurlement enthousiaste lui répondit et nous gagnâmes le terrain. Durant les cinq premières reprises, je lançai de mon mieux et une seule balle fut rattrapée. Ensuite prit place le lanceur adverse et c'est là que nos problèmes commencèrent. Cette grande fille brune était dotée d'une musculature qui aurait plongé Pamela tout droit dans les pommes. Ses balles filaient comme des boulets de canon. J'en ratai deux que personne d'autre ne put rattraper. Cora parvint à renvoyer une chandelle qui atterrit droit dans la main d'un défenseur adverse.

Une faute de notre part amena une fille de Westgate dans une base. Leur batteur suivant rata la première balle mais la deuxième tomba entre la deuxième base et notre gardien de champ-centre, ce qui permit à leur coureur d'occuper la troisième base. Leur meilleur batteur prit place. C'était à moi de lancer. J'inspirai profondément et regardai la foule des spectateurs sur laquelle régnait un silence ému. Chacun retenait son souffle. Assis à l'extrémité d'un gradin, Mr. Rudley me sourit et dressa le pouce. Je regrettai vivement de ne pas pouvoir croiser le regard de Peter.

Mon premier lancer fut mauvais mais le deuxième arriva en bas de la zone de prise et le batteur le manqua, ainsi que le suivant. Puis elle frappa une longue balle droit sur moi. Je tins bon et la rattrapai puis, pivotant sur place, la renvoyai vers la première base. Leur coureur s'étant déjà trop éloigné, elle ne put revenir à temps sur ses pas. C'était ce qu'on appelle un double jeu, lequel élimine d'un coup deux adversaires.

Nos supporters rugirent de joie. Parents et amis s'étaient dressés pour nous applaudir. Le match n'était cependant pas gagné. Notre premier batteur prit place et rata trois balles; notre belle assurance s'effondra. Personne ne dit mot mais j'imaginais fort bien ce que pensaient les spectateurs : Agnès-Fodor allait de nouveau craquer.

C'était à présent au tour de Heather de prendre la batte. Les yeux fermés, elle recula du marbre et agita vainement son instrument. L'équipe adverse éclata de rire. Les sarcasmes jaillirent.

— Qu'est-ce qui se passe, petite chérie, tu as peur d'abîmer ton maquillage?

— Attention, tu vas casser le joli nez que t'a fabriqué le chirurgien.

— Fais gaffe! Il y a ton nom écrit sur la balle : Poule Mouillée.

Des vagues de rires parcoururent l'assistance. Malgré notre bonne prestation, on ne nous prenait toujours pas au sérieux. Mes coéquipières en parurent très affectées; si nous ne faisions pas quelque chose tout de suite, la bataille était perdue.

Vint le tour d'Eva Jensen. Je lui glissai au passage :

— Elle lance vers l'intérieur. Recule un peu et tâche de viser le champ-droit.

Elle fit oui de la tête et prit place. La première balle arriva trop bas mais la seconde se présenta comme je l'avais prédit. Eva recula et pivota. Ce fut un coup vigoureux qui rebondit devant le gardien de la première base. Celle-ci l'évalua mal; la balle lui passa au-dessus de la tête et atterrit dans le champ-droit. Nous eûmes enfin un coureur en première base.

Je regardai Mrs. Grossbard qui m'avait entendue conseiller Eva.

— Méfie-toi, dit-elle en faisant allusion au lanceur, elle ne te fera pas de cadeau.

Je hochai la tête et allai me camper sur le marbre. Le silence tomba à nouveau. Le lanceur tenta de me déstabiliser avec deux balles trop basses et éloignées mais je tins bon. Le lancer suivant arriva droit sur moi par le coin extérieur. C'était le genre de balle qu'on ne peut frapper qu'avec force. Je m'inclinai sur la droite, pivotai et rattrapai la balle du haut de la batte.

Elle s'envola.

Elle s'éleva, survola la tête du gardien de champ-gauche et franchit la clôture. J'avais frappé un coup de circuit.

La foule rugit d'enthousiasme. Tandis que je courais de base en base, les hurlements de nos supporters emplirent le stade, me vrillant les oreilles. Mr. Rudley souriait de toutes ses dents et Mrs. Grossbard, devant qui je passai en courant, pleurait des larmes de joie.

Cora m'étreignit avec tant de force que je sentis mes côtes fléchir. Toute l'équipe se rua sur moi ; un peu à l'écart, Heather affichait un sourire forcé. De ma vie, je ne m'étais sentie aussi heureuse et fière de moi. La foule applaudissait à tout rompre mais, hélas, ni ma mère ni mon père n'étaient là pour assister à mon triomphe. J'étais seule comme je l'avais toujours été.

Lisa Donald annonça qu'elle invitait tout le monde chez elle pour fêter la victoire. L'équipe entière était conviée, y compris Mrs. Grossbard. Je rentrai en courant avec l'espoir que cette invitation convaincrait Pamela des bénéfices mondains que pouvait rapporter la pratique d'un sport. Peut-être même serait-elle fière de moi, finalement.

Au lieu de quoi, je la trouvai au bord de l'hystérie. Contrairement à ce qu'elle avait espéré, Peter n'était toujours pas rentré et, avant que j'aie pu dire quoi que ce soit, elle s'exclama d'un ton tragique :

— Tout est fichu !

— Qu'est-ce qu'il y a ?

Je me pétrifiai dans l'entrée sans lâcher mon gant et la balle gagnante sur laquelle chacune de mes coéquipières avait apposé sa signature. Celle de Mrs. Grossbard, la plus grosse de toutes, et la date du match y figuraient aussi.

— Tu as reçu ta convocation pour l'audition mais... comment est-ce que j'ai pu oublier une chose aussi importante ? Je ne sais vraiment pas. Tu m'as embrouillée avec tes jérémiades au sujet des leçons de piano.

Mon euphorie retomba.

— Quelle chose importante?

— Tes photos! Oh, où est-il? Où est-il? cria-t-elle.

— Qui? Peter?

— Non, pas Peter. Le photographe. Je lui ai dit de se dépêcher afin que tout soit prêt quand tu arriverais. Je veux qu'il prenne les photos dans l'atrium, devant la salle à manger. Les fleurs fourniront un arrière-plan coloré. Ça donnera une allure plus... royale et tu auras l'air d'une princesse. Eh bien, qu'est-ce que tu attends? Monte te débarbouiller. Prends un bain, lave tes cheveux et commence le maquillage. Il faut que nous soyons prêtes d'ici une heure.

— Vous ne voulez pas savoir comment s'est passé le match?

— Le match? Quel match? Tu veux dire le... comment tu appelles ça?... le base-ball?

— Oui. On a gagné. J'ai frappé un coup de circuit juste à la fin et nous avons remporté la victoire. On aurait dit le Championnat du Monde, tant il y avait de spectateurs. Même des professeurs sont venus. J'ai bien joué. Il y a une réception chez Lisa Donald pour fêter ça. Toute l'équipe y va. Les professeurs et les parents sont aussi invités.

— Qui a du temps à perdre pour ce genre de choses? Tu es folle? Cette séance de photos va durer des heures. On ne peut pas montrer n'importe quoi aux jurés. Il faut des photos de professionnel, prises comme pour un mannequin. Il n'y a pas une seconde à perdre, monte te préparer. Je te rejoindrai pour choisir tes vêtements. Bien sûr, il te faudra porter plusieurs tenues. Et aussi le maillot de bain que je t'ai acheté la semaine dernière. Va, va vite!

Je regardai la balle couverte de signatures. A quoi bon la lui montrer? Elle risquerait de la jeter à la poubelle. Je m'engageai dans l'escalier.

— On pourra y aller quand la séance de photos sera finie?

— On verra. Je n'ai vraiment pas le temps de penser à ça maintenant. Joline! Joline!

— Oui, madame.

— Montez lui préparer son bain. Vite.

— Oui, madame, dit la jeune femme en se ruant dans l'escalier.

Elle me doubla à mi-chemin et je n'avais pas ôté mon uniforme qu'elle en était déjà à vider quantité de petites fioles dans la baignoire.

Je restai abasourdie. Mon humeur ne se prêtait guère à une séance de photos. J'étais rentrée à la maison sur un petit nuage et voilà qu'on m'en faisait dégringoler en me tirant par les cheveux pour me lâcher sur une scène entourée d'inconnus qui m'évalueraient comme un numéro de plus.

Ainsi qu'il fallait s'y attendre, Pamela jugea que je ne me dépêchais pas suffisamment. Lorsqu'elle fit irruption dans ma chambre, j'étais en train de me sécher les cheveux.

— Tu n'es pas encore prête? glapit-elle. Quand il s'agit de te démener sur un terrain de sport, tu cours comme le vent mais, quand il faut te préparer pour quelque chose de vraiment important, tu es une vraie tortue, fulmina-t-elle en se dirigeant à grands pas vers ma penderie.

— Pour moi, le sport est vraiment important, insistai-je, hérissée.

Jugeant inutile de me répondre, elle examina les robes suspendues aux cintres.

— Je veux des tenues colorées et en même temps simples pour qu'on voie comme tu es naturellement belle.

— Je ne suis pas belle, marmonnai-je, plus pour moi que pour elle.

Elle m'entendit et me fit face.

— Arrête ! Je ne veux plus entendre ça. Je te l'ai dit, si tu te répètes que tu n'es pas belle, tu ne le seras pas. L'attitude est essentielle. Pourquoi me serais-je donné tant de mal à t'apprendre comment s'asseoir, marcher, tenir la tête et même regarder, si je ne te croyais pas belle ? Les photos ne mentent pas ; elles révèlent ce que tu penses, aussi tu as intérêt à changer d'attitude avant de descendre. Je veux te voir resplendissante de vie, de jeunesse, d'assurance, de fierté. Arrête de me regarder comme ça ! cria-t-elle. Brosse-toi les cheveux et maquille-toi !

— D'accord.

— Ne dis pas d'accord. Dis oui. Tu ne te rappelles pas ce que je t'ai dit ? D'accord, c'est trop... commun, conclut-elle en panne de mot adéquat.

Elle sortit plusieurs robes, jupes et chemisiers ainsi que le maillot de bain.

— Le photographe est arrivé. C'est un professionnel de renom. Il installe son matériel dans l'atrium. Je vais voir avec lui ce que tu dois porter en premier et je reviens. D'ici là, il faut que tu sois prête. Compris ?

— Oui, mais si nous avons fini à temps, je pourrai aller à la fête ? S'il vous plaît ?

— Nous verrons, dit-elle en quittant la pièce.

Je regardai ma pendule. Les membres de l'équipe et leurs familles devaient être en train d'arriver chez Lisa alors que j'étais coincée ici. Ma seule chance de les rejoindre avant la fin de la réception était de coopérer afin d'en terminer au plus vite.

Lorsque Pamela remonta, j'étais prête. Après avoir conféré avec le photographe, elle avait opté pour la robe bleu clair au décolleté en V. Je l'enfilai sans mot dire. Elle s'assura que le soutien-gorge rembourré embellissait ma modeste poitrine puis fixa autour de mon cou l'un de ses colliers de perles. Cela fait, elle me poussa devant la glace en pied et me coiffa.

— Ta peau est rouge. C'est ce que je craignais. Trop de soleil sur ce maudit stade et voilà ton teint abîmé.

Elle me fit rasseoir devant la coiffeuse et reprit le maquillage jusqu'à ce qu'elle soit satisfaite. Ce qui prit près d'une demi-heure.

— Quand est-ce que Peter va rentrer? demandai-je comme nous descendions.

— Je ne sais pas, dit-elle. Plus tard.

Mon dernier espoir était qu'il arrive avant la fin de la séance de photos et m'emmène chez Lisa.

Le photographe était un charmant jeune homme aux cheveux noirs et bouclés. Il s'appelait William Daniels. Les propos élogieux de Pamela m'avaient fait imaginer un homme âgé et expérimenté. Cependant, dès qu'il se mit au travail, je pus constater qu'il connaissait son métier. Chaque fois que Pamela émettait une suggestion, il expliquait pourquoi cela ne marcherait pas; la lumière ne serait pas bonne, mon profil ou l'arrière-plan pas assez mis en valeur.

Percevant ma nervosité et mes réticences, William sut trouver les mots pour me détendre.

— Ne lutte pas, me murmura-t-il tandis qu'il rectifiait mon maintien. Ça sera fini plus vite si tu laisses les choses se faire.

Il avait raison, bien sûr, et je me résignai.

— Bien, excellent, c'est parfait, ne cessait-il de dire, ce qui eut aussi pour effet de détendre Pamela.

Lorsque je redescendis après avoir changé de robe, Pamela trouva que l'opération avait écrasé mes cheveux et William dut attendre qu'elle m'ait recoiffée à son goût.

Je jetai un coup d'œil à ma montre. Cela faisait près d'une heure et demie que la séance avait commencé. A présent, la réception de Lisa battait son plein et tout le monde s'inquiétait sûrement de mon absence. Heather devait raconter à qui voulait l'entendre que mon retard n'était qu'une façon de me faire remarquer. Réflexion dont elle était parfaitement capable.

De nouveaux problèmes surgirent avec mon maillot de bain. Dès que Pamela me vit, elle rugit :

— Est-ce que tu ne pourrais pas empêcher ces boules de muscles de saillir comme ça sur tes jambes ?

— Mais je ne fais rien, protestai-je.

— Vous pouvez arranger ça ? demanda-t-elle au photographe.

Il m'examina un instant, rectifia ma posture et secoua la tête.

— Cette enfant a un petit corps magnifique, Mrs. Thompson. Je ne vois pas pourquoi vous voulez le cacher.

— Ils vont la prendre pour une de ces filles qui font du body-building. Qui voudrait d'une amazone comme Miss America ? grogna-t-elle. Détends tes bras.

J'essayai de prendre l'attitude la plus indolente possible mais aucun de mes efforts n'eut l'heur de la satisfaire.

— Ils vont détester cette photo, grommela-t-elle.

— Voyons, dit William. Je peux éventuellement faire des retouches ici et là.

— Ça ira pour les photos mais pas quand elle sera sur le podium.

Il la regarda, attendant ses instructions.

— Très bien, très bien. Faites ce que vous pouvez, dit-elle avec un geste accablé de la main.

Il se mit au travail. La séance s'acheva peu après. Je courus enfiler un pantalon et un chemisier et redescendis aussitôt. William achevait de remballer son matériel.

— On peut aller à la réception, maintenant, Pamela ? demandai-je en contenant mal mon excitation.

— Toute cette tension m'a donné une migraine terrible, dit-elle en secouant la tête. Il me faudrait des heures pour me préparer à une apparition en public.

— Mais... tout le monde m'attend. J'ai promis de venir. Je vous en prie !

— Je peux la déposer, proposa William.

Je la suppliai du regard.

— Bon, très bien, répondit-elle sèchement.

— Oh, merci, Pamela ! Merci beaucoup.

Pour hâter le mouvement, j'aidai William à charger ses affaires dans sa voiture.

— En quel honneur donne-t-on cette réception ? demanda-t-il comme nous roulions.

Je lui expliquai et il me félicita. Pourquoi mes parents ne pouvaient-ils être comme ce jeune homme ? Il me parla de lui, me dit qu'il était marié et avait des jumelles de quatre ans.

— Elles sont très mignonnes et se ressemblent comme deux gouttes d'eau. Je n'arrête pas de les photographier, bien évidemment, mais je n'ai aucune envie de les inscrire à un concours de beauté. Aujourd'hui, on en organise même pour des enfants de cinq ans ; on les habille et on les maquille outrageusement pour leur donner l'air plus âgées. C'est complètement fou.

— Moi non plus, je n'ai pas envie d'y aller, marmonnai-je.

— Ça se voit, fit-il avec un sourire. Mais, dis donc, s'il n'y avait pas des gens comme ta mère, je ne gagnerais pas aussi bien ma vie, ajouta-t-il en riant.

Cette petite conversation me détendit. Lorsqu'il découvrit la maison des Donald, il ne put retenir un sifflement ébahi.

— Je vois que tu fréquentes du beau monde. Comme on dit, mieux vaut naître riche que naître tout court.

Si seulement il savait la vérité... me dis-je en riant en mon for intérieur. Je le remerciai de m'avoir déposée et descendis de la voiture.

Mon arrivée tardive eut pour résultat un accueil chaleureux. Dès qu'on me vit, un grand silence se fit puis tout le monde se mit à hurler mon nom et à applaudir. Chacun se rua sur moi pour me féliciter. Beaucoup de mes professeurs étaient présents, y compris Mrs. Harper qui daigna m'accorder un regard approbateur. Harrison, le cousin de Lisa, me traita avec respect et s'efforça de me faire oublier ses mauvaises manières. J'étais trop heureuse pour nourrir encore quelque inimitié. C'était le plus beau jour de ma vie et il me semblait que jamais je ne verrais plus merveilleuse réception, pas même le jour de mon mariage. Rien, à mon avis, ne pouvait assombrir une telle journée.

Je me trompais.

10

Montagnes russes

Une curieuse impression m'envahissait, celle de planer au-dessus de cette réception. Jamais tant de gens n'avaient eu une aussi haute opinion de moi. Dans mon ancienne école, je n'étais pas la seule fille à être bonne en sport et on ne voyait en moi qu'un des enfants de l'orphelinat, ce qui amoindrissait mes exploits.

Ici, j'avais beau me raisonner, je me sentais quelqu'un d'exceptionnel. Je vivais dans une maison aussi grande, ou plus grande, que celles de mes camarades. Je portais des vêtements tout aussi luxueux, sinon plus. Personne ne pouvait me jeter de regards dédaigneux ni diminuer mes succès par ces simples mots : « Ce n'est que l'une des orphelines. »

Je nageais en pleine euphorie. Le frère de Lisa et ses amis ne me quittaient pas d'une semelle. J'étais toujours peinturlurée comme pour entrer en scène et tous devaient penser que ce maquillage n'était destiné qu'à les épater. Parler à mes amies du concours de beauté et de la séance de photos étant trop embarrassant, je me tus.

Leurs regards envieux me suivaient tandis que les garçons rivalisaient pour attirer mon attention, s'efforçaient de me rendre service en m'apportant qui un verre, qui un sandwich, et tentaient de m'épater par leurs plaisanteries et leurs histoires.

Au bout de quelques instants, Lisa et Eva m'entraînèrent vers d'autres filles pour glousser tout à notre aise en parlant des garçons. Pour la première fois de ma vie, je me sentis respectée de mes camarades. Il me parut même possible de me plier désormais à toutes les exigences de Pamela afin que cette situation privilégiée se prolonge éternellement.

Plus tard, alors que la réception tirait à sa fin, Heather s'approcha de moi et murmura :

— Il faut que je te parle. J'ai quelque chose de très important à te dire. Viens, ça ne peut pas attendre.

— Maintenant?

Elle fit oui de la tête et s'éloigna. Heather m'ayant ignorée toute la soirée, j'étais surprise d'une telle urgence. Je la suivis dans un coin où personne ne pouvait nous entendre.

— Qu'est-ce qu'il y a? demandai-je en regardant avec regret la foule qui commençait à se disperser.

J'aurais tant voulu que cette fête se poursuive indéfiniment, et avec elle la musique, les lumières, le buffet somptueux, l'excitation ambiante.

— J'ai entendu ma tante parler de toi, dit-elle.

Ce fut brusquement comme si la caméra s'arrêtait de filmer et que l'image sur l'écran devenait floue. Brouillés par la peur, mes yeux ne parvenaient plus à distinguer les invités.

— Qu'est-ce que tu veux dire? demandai-je d'une voix faible.

— Je sais que tu es orpheline et que ton père et ta mère ne sont pas tes vrais parents. Tu n'as jamais connu ta vraie mère et tu n'as même pas de père. Tu sais comment on appelle quelqu'un qui n'a pas de père?

— Je ne veux pas le savoir, dis-je en secouant la tête.

Elle esquissa un sourire froid.

— Il m'a semblé nécessaire que tu saches que je suis au courant.

Une expression rageuse remplaça son sourire mielleux.

— Rien d'étonnant à ce que tu sois aussi sportive qu'un garçon.

— Quel est le rapport?

Elle prit un air entendu comme si la chose était évidente.

— En tout cas, ne prends pas tes grands airs quand je suis dans les parages, ajouta-t-elle d'un ton menaçant avant de s'éloigner.

Mon cœur battait à tout rompre. Le petit nuage d'euphorie sur lequel je planais depuis la victoire creva brutalement, me projetant à terre. Les jambes tremblantes, je rejoignis les invités et me mêlai à eux, mais désormais j'étais comme sourde et n'entendais plus ni voix ni musique. De temps à autre, le regard satisfait de Heather se rivait sur le mien et me faisait détourner les yeux.

Je fus très soulagée de voir enfin arriver Peter. Tout le monde tint à le féliciter de mes prouesses.

— Je regrette beaucoup d'avoir manqué ce match, dit-il comme nous montions dans la voiture. Vu ce que je viens d'entendre, tu as été formidable. Tu n'as rien raconté à Pamela? Elle ne m'en a pas dit un mot lorsque je suis rentré.

— J'ai essayé mais elle était trop préoccupée par les photos. J'ai failli manquer la réception.

— Elle ne se rend pas compte, c'est tout... Je lui expliquerai, promit-il. Tu n'as pas l'air dans ton assiette. Ça ne va pas?

— Je suis fatiguée, c'est tout.

Je n'avais plus qu'un désir : éviter de gâcher cette journée.

— Cela n'a rien d'étonnant. Travailler en classe, apprendre tes leçons, jouer du piano, te préparer pour un concours de beauté, mener une équipe de base-ball à la victoire... tu parles d'une surdouée! Je suis fier de toi, Brenda. Vraiment.

Ses compliments me firent du bien. Pamela était déjà couchée lorsque nous rentrâmes. Il monta tout de suite lui parler du match et tenter de lui faire comprendre de quoi il s'agissait. J'allai au lit et, dès que ma tête se posa sur l'oreiller, mon corps parut peser une tonne. Je sombrai dans un profond sommeil.

Le lendemain matin, Peter reçut un coup de téléphone qui lui gâcha tout son dimanche. Il dut se rendre à son bureau avant même que je ne sois descendue prendre le petit déjeuner. Cela mit Pamela de mauvaise humeur. Je passai la journée à réviser mes prochains examens. Quelques personnes me téléphonèrent, mais beaucoup moins que je ne l'avais escompté. Peter ne rentra que peu avant le dîner et je sentis qu'une vive tension régnait entre Pamela et lui. Ce fut le repas le plus silencieux depuis mon arrivée.

Tous ces événements m'avaient épuisée et je m'endormis sur un livre. Lorsque je me réveillai le lundi matin, il était plus tard que d'ordinaire; je dus sacrifier le piano et abréger la séance de maquillage. Heureusement, Pamela dormait encore et elle ne put, comme d'autres fois, m'examiner avant le départ. Elle avait cependant demandé à Peter de me rappeler que le médecin m'attendait le lendemain après les cours. Je ne cachai pas que je trouvais cela idiot puisque je me portais bien.

— Ça ne fait pas de mal de se faire examiner, dit-il. Prends-le comme ça.

S'il y avait un compromis dans l'air, Peter le saisissait au vol. De toute façon, il paraissait désireux d'éviter toute discussion avec Pamela.

Dès que j'entrai dans la salle de classe, je perçus une ambiance différente. « Après l'euphorie, il faut bien redescendre sur terre, me dis-je. On revient à la routine... » La victoire appartenait déjà au passé et les examens de fin d'année approchaient.

Je restai en classe après le cours de maths pour demander des explications au professeur, ce qui me fit arriver en retard au déjeuner. Les conversations s'interrompirent brusquement. Les regards se détournèrent de moi, certains avec une honte visible.

— J'ai cru que Mr. Brazil allait me garder jusqu'à la fin du déjeuner, dis-je en riant. Il parle tellement lentement.

Eva sourit, mais elle fut la seule.

Je commençai à manger. Le silence général me mit mal à l'aise.

— Qu'est-ce qui se passe ?

Personne ne répondit. A croire que je n'étais pas là. La cloche sonna pour signaler la fin de la pause et tout le monde se leva.

Je rattrapai Lisa par le poignet.

— Qu'est-ce qu'elles ont toutes, aujourd'hui ? On dirait que quelqu'un est mort.

Elle garda les yeux fixés devant elle.

— C'est le cas.

— Qu'est-ce que tu veux dire ? Qui est mort ?

— Elles trouvent que tu es une tricheuse, répondit-elle d'un ton froid.

— Une tricheuse, moi ? Pourquoi donc ?

— Parce que tu n'as jamais dit que tu étais adoptée.

— Oh...

Devant moi, le dos de Heather, secoué de rire, tressautait allégrement.

— Pourquoi aurais-je dû l'annoncer publiquement ?

— Tu n'avais pas à l'annoncer mais tu ne devais pas te faire passer pour ce que tu n'es pas.

— Si, ripostai-je. Surtout ici, où tout le monde juge chacune à l'argent que gagne son père ou à la taille de sa maison.

— C'est faux.

— Non, c'est vrai.

Lisa me jeta un regard noir.

— Et tu savais sans doute déjà jouer au tennis. Tu m'as fait passer pour une idiote.

— Comment ?

Elle s'éloigna sans attendre.

— Je ne savais pas. Comment aurais-je pu apprendre ? Tu crois que nous avions un court de tennis à l'orphelinat ? criai-je dans son dos.

Plusieurs filles se retournèrent mais aucune ne m'attendit.

En moins de quarante-huit heures, j'étais passée du statut d'héroïne de l'école à celui de paria. Un jour que je me plaignais du mépris de mes camarades de classe, l'une des éducatrices de l'orphelinat me dit que l'on devait parfois se féliciter de ne pas être aimée de certaines personnes. Elle avait raison. Je m'en voulus de m'être donné tant de mal pour ressembler à ces filles. Peter et Pamela pouvaient être colossalement riches et dépenser une fortune pour me vêtir et m'instruire ; je pouvais me pavaner dans d'innombrables défilés et concours ; notre voiture pouvait faire dix mètres de long et notre maison ressembler à un château, rien n'y ferait : je ne serais jamais comme elles. C'était comme si j'étais née et avais été élevée dans un autre pays. Notre langue était différente puisque nous n'accordions pas la même signification aux mots.

Je baissai la tête et tins bon. Je m'appliquai et travaillai de mon mieux durant le reste de la journée et ignorai mes voisines. Sans se montrer amicales, les filles des autres classes restèrent polies. Les professeurs eux-mêmes me parurent différents mais c'était peut-être un effet de mon imagination. S'apitoyer ne servait à rien. Soudain, l'avenir me parut sombre et privé d'espoir.

Tout changea lorsque Mrs. Grossbard me fit venir dans son bureau avant le cours de gymnastique. Un grand sourire illuminait son visage.

— J'ai reçu un coup de téléphone très agréable il y a seulement une demi-heure et je t'attendais avec impatience, dit-elle.

De quoi s'agissait-il donc ? Avait-elle découvert que j'étais orpheline et, pour une raison inconnue, s'en réjouissait-elle ?

— Cela me concerne ?

— Tout à fait. Tu as été sélectionnée pour faire partie de l'équipe de base-ball du comté. Tu seras probablement premier lanceur.

— Oh ! Vraiment ?

Elle fit oui de la tête.

— C'est la première fois qu'une de mes élèves est sélectionnée. Toutes mes félicitations, Brenda.

Elle se leva et, au lieu de me serrer la main, me pressa sur son cœur.

Je ne pus retenir mes larmes.

— Voyons, s'écria-t-elle en riant, il n'y a pas de quoi pleurer. Au contraire !

Trop d'émotions s'étaient accumulées en moi et je me mis à sangloter de plus belle.

— Que se passe-t-il, mon petit ? demanda-t-elle en me faisant asseoir.

Je la mis au courant aussi brièvement que possible. Tandis qu'elle écoutait, son visage s'empourpra de colère.

— On devrait nommer cet endroit « Collège de Snobinardes », dit-elle. Ne te laisse pas abattre par ces idiotes. Elles sont jalouses, c'est tout.

— Non, ce n'est pas ça. Elles n'ont pas à être jalouses. Elles ont de vraies familles, elles.

— Tu vaux le double de chacune d'entre elles, ma chérie. Qu'elles aient de vraies familles ou non. Les gens te jugeront sur ta valeur personnelle et non sur ton nom de famille. Tu verras, promit-elle. Si tu n'as pas envie de suivre le cours de gym aujourd'hui, laisse tomber. Repose-toi.

— Non, répondis-je en m'essuyant les joues. Ça ira.

Elle sourit.

— Bravo ! Et vive la nouvelle recrue de l'équipe du comté !

Mon moral remonta d'un cran et je me sentis plus forte. La nouvelle ne s'était pas encore répandue dans l'école mais, maintenant que mes prétendues amies m'avaient rejetée hors de leur clan, il était peu probable qu'elles s'en réjouissent.

Pamela n'était pas à la maison lorsque je rentrai. Je montai dans ma chambre et me mis au travail. Toutefois, après le déferlement d'émotions de la journée, je n'étais guère en état de me concentrer. Entendant des pas dans l'escalier, je sortis sur le palier et vis Joline qui montait, les bras chargés de paquets. Pamela la suivait de près.

— J'ai dû aller m'acheter deux ou trois nouvelles tenues pour le jour de l'audition, dit-elle. Il est essentiel que je sois à la mode, moi aussi. On prend des photos des mères avec leurs filles.

— Il faut que je vous dise quelque chose... commençai-je.

Toute la journée, je m'étais rappelé combien elle attachait d'importance à la nécessité de cacher la vérité au sujet de mes origines.

— Les filles ont tout découvert sur mon compte, repris-je. Elles savent que je suis une orpheline en cours d'adoption.

— Quoi ? Comment cela a-t-il pu se produire ?

— Heather Harper a entendu sa tante en parler à quelqu'un et elle l'a raconté à tout le monde. C'est une bande de snobs. Je les déteste. Je déteste cette école, sauf Mrs. Grossbard. Même les professeurs me regardent différemment maintenant.

Elle me fixa d'un air furieux.

— Attends que j'en parle à Peter. Nous allons la poursuivre en justice pour avoir répandu des commérages.

— En quoi ça me servira ?

Elle ne répondit pas et dévala l'escalier à toute allure. Peter rentra environ une heure plus tard. J'entendis leurs voix s'élever au rez-de-chaussée et voulus les rejoindre. Ils étaient dans le bureau. Le visage empourpré et les cheveux légèrement décoiffés, Peter avait l'air excédé.

— On n'a pas de quoi porter plainte, me dit-il lorsque j'entrai dans la pièce.

— Je ne veux pas que vous portiez plainte, Peter. Cela ne servirait à rien. Au contraire, dis-je.

— Elle a raison, Pamela. Oublions cette histoire.

— Pas question que je l'oublie. Cette femme va

avoir de mes nouvelles. J'en parlerai au conseil d'administration. On devrait la renvoyer pour faute grave.

— C'est fini, n'en parlons plus, dit Peter.

— Je ne veux pas retourner dans cette école l'année prochaine, déclarai-je.

Pamela sursauta.

— Qu'est-ce que tu veux dire? Et où irais-tu? Dans une école publique? demanda-t-elle avec une moue méprisante.

— Je m'en fiche. Je déteste ces filles. Et bientôt elles vont être encore plus jalouses de moi, ajoutai-je.

Peter haussa les sourcils.

— Pourquoi donc?

— J'ai été sélectionnée pour entrer dans l'équipe du comté. Je serai leur premier lanceur.

Un grand sourire éclaira son visage.

— Brenda, c'est fantastique! Je suis très fier de toi.

Il se leva et m'étreignit.

— En voilà un exploit! marmonna Pamela.

— C'est la chose la plus importante qui me soit arrivée, affirmai-je.

Elle esquissa un sourire méprisant et se leva.

— Toutes ces émotions sont mauvaises pour mon teint, déclara-t-elle d'un ton maussade. Il faut que j'aille passer une heure au moins dans mon fauteuil de massage électrique avant le dîner.

— Eh bien, je suis fou de joie pour toi, ma chérie, reprit Peter. Quand aura lieu ton premier match dans cette équipe?

Lorsqu'elle entendit la date, Pamela s'arrêta pile, se retourna et me regarda dans les yeux.

— Qu'est-ce que tu as dit? Quand a lieu cet événement stupide?

Je répétai la date.

— Tu ne peux pas y aller, dit-elle. Tu n'as donc pas compris quel jour c'était ? Cela fait des semaines et des semaines que je t'en parle. C'est le jour de ton audition pour le concours. Tout est organisé, il n'y a pas à y revenir.

— Non, répondis-je en secouant la tête.

Je regardai Peter mais son air égaré m'effraya. Sûrement, il allait trouver l'un de ses compromis miracles.

— J'ai été sélectionnée parmi toutes les filles de toutes les écoles du comté, tentai-je d'expliquer. C'est un grand honneur.

— Je ne vois rien d'honorifique là-dedans, riposta Pamela. Comment peux-tu comparer le fait de jouer à la balle et celui de remporter un concours de beauté ?

— Je m'en fiche. Je jouerai. J'ai été sélectionnée. Je n'irai pas au concours.

— Tu iras, un point, c'est tout. Et de ce pas, je vais appeler cette grande gueule de directrice pour lui interdire de t'inscrire dans cette équipe. Et si elle refuse de m'obéir, je vais la menacer de prévenir le conseil d'administration qu'elle s'est répandue en commérages sur l'une de ses élèves.

— Pamela... fit Peter d'une voix faible.

— Quoi ? Tu ne vas pas lui permettre d'aller à son match à la place de l'audition, quand même ? Regarde tout le mal que je me suis donné, tout ce que nous avons dépensé avec les leçons de piano, les robes, les photos !

— Peut-être pourrions-nous la présenter à une autre audition ? suggéra-t-il timidement.

— Tu sais bien que c'est impossible. Tu sais combien ça a été compliqué de tout organiser... Tu iras à l'audition, enchaîna-t-elle en se tournant vers moi. Oublie ce match. Tu es une splendide jeune fille. Tu n'es pas... une espèce d'athlète sans grâce. Je ne veux pas! hurla-t-elle soudain. Je suis Pamela Thompson. Ma fille sera reine de beauté.

— Non, non, non! criai-je en m'enfuyant.

— J'appelle tout de suite Mrs. Harper, entendis-je tandis que je grimpais quatre à quatre l'escalier. Tu m'entends, Brenda? Tu peux chasser de ton crâne cette histoire de match.

Je claquai ma porte et la verrouillai. Puis je me jetai sur mon lit et enfouis mon visage dans l'oreiller.

Pourquoi cela devait-il m'arriver?

Je me redressai et me regardai dans le miroir de la coiffeuse. Pourquoi étais-je née si c'était pour souffrir comme cela? Pourquoi les gens avaient-ils des enfants dont ils ne voulaient pas?

Lorsque Pamela était venue à l'orphelinat, ce n'était pas moi qu'elle avait vue, mais elle-même. Ensuite elle m'avait ramenée ici pour essayer de me faire devenir celle qu'elle avait été, celle qu'elle avait cru voir. Je n'étais pas cette fille. Je ne serais jamais cette fille, affirmai-je à mon reflet.

Mes larmes dessinaient des rigoles sombres sur mon maquillage. J'essuyai le rouge à lèvres et, prise d'un accès de rage, allai dans la salle de bains pour me laver et me frotter la figure jusqu'à ce que la peau me brûle. Après quoi, je revins m'examiner. J'arrachai mon chemisier pour me débarrasser du soutien-gorge rembourré et cherchai dans les tiroirs le ruban rose que ma mère m'avait laissé. Ensuite seulement, je me rhabillai et m'assis.

Des pas résonnèrent sur le palier.

— Pourquoi cette porte est-elle fermée? cria Pamela.

— Je ne veux parler à personne.

— Eh bien, moi, je viens de téléphoner à Mrs. Harper. Tu peux oublier ton match. Tout est arrangé. Maintenant, arrête de faire l'idiote. Je veux te parler de l'audition. J'ai d'autres choses à t'expliquer.

Mes larmes ruisselèrent à nouveau ; un terrible poids pesait sur mes épaules.

Alors que mes camarades de classe me regardaient avec mépris, on me privait de l'unique occasion de briller qui m'était impartie. Mrs. Grossbard serait terriblement déçue.

— Brenda, tu m'entends ?

Je sentis quelque chose se briser à l'intérieur de moi, comme si mon corps était fait de verre et qu'une première fêlure était apparue. Bientôt, j'allais m'écrouler sur le sol et, lorsque Pamela entrerait, elle ne trouverait dans la chambre qu'un petit tas de débris.

— Brenda !

Chacun de ses cris ajoutait une fêlure. Il me fallait réagir avant d'être réduite en morceaux. Je m'emparai des ciseaux, saisis une mèche de cheveux et la coupai n'importe comment. Puis une autre. Et encore une autre. Les cheveux s'entassaient sur la table tandis que le cuir chevelu apparaissait par plaques roses.

Pamela tambourinait sur la porte, hurlait mon nom, sermonnait, me menaçait de sanctions diverses. Derrière elle, Peter la suppliait de se calmer.

Lorsqu'il n'y eut quasiment plus rien à couper, je reposai les ciseaux, me levai, traversai la pièce à pas lents et déverrouillai la porte.

A ma vue, les yeux de Pamela faillirent jaillir des

orbites. Sa bouche s'ouvrit et se referma sans bruit. Puis elle pressa les mains sur ses tempes et émit un hurlement strident. Le sang afflua à son visage qui devint violet et des tremblements convulsifs secouèrent son corps.

Peter la contourna pour me regarder et resta bouche bée.

Les yeux de Pamela se révulsèrent. Elle leva les mains vers le plafond et s'évanouit dans les bras de Peter.

Je refermai doucement la porte.

Épilogue

— C'est ce qu'il y a de mieux pour toi, dit Peter.

Le tic-tac de l'horloge me parut soudain plus sonore.

Les mains serrées, Peter était assis en face de moi dans le grand salon. Il avait l'air très fatigué, son hâle perpétuel s'était estompé et ses cheveux étaient hirsutes. Il avait ôté sa cravate et déboutonné sa veste et son col de chemise. Il était plus à plaindre que moi. Pamela le mettait à rude épreuve. Un défilé de médecins et de professionnels de la beauté avaient pris d'assaut la maison pour prodiguer leurs massages, leurs conseils diététiques, leurs soins pour la peau et les cheveux. Il y avait même un spécialiste de la méditation qui s'était installé à demeure dans la chambre de Pamela. Elle affirmait qu'en quelques minutes, je lui avais fait prendre des années et qu'il lui faudrait des mois pour en annuler les ravages. Elle s'était même plainte de problèmes cardiaques.

Pourtant, nous étions loin de nous être tout dit, elle et moi.

— Personne ne t'oblige à vivre dans une maison où tu te sens mal à l'aise, reprit Peter. Ni à fréquenter une école où tu es malheureuse, ajouta-t-il.

Je le regardai franchement, ce qui lui fit détourner les yeux.

Les gens qui se mentent ont du mal à affronter le

regard d'autrui. Ils craignent de révéler leurs mensonges.

Ma crise de fureur avait inquiété Peter qui, à son tour, avait voulu m'emmener consulter un médecin. J'avais refusé. En fait, il y avait longtemps que je ne m'étais pas sentie en aussi bonne forme, comme si mes épaules s'étaient débarrassées d'un poids accablant. J'avais essayé de rentrer dans un moule qui n'était pas pour moi. Ce qui m'aurait fait plaisir à présent, c'était qu'on me rende mes vieux vêtements. Le ruban rose était noué à mon poignet et pour rien au monde je ne l'ôterais.

Peter se renfonça dans son fauteuil d'un air songeur. L'horloge faisait entendre son tic-tac imperturbable.

Sacket apparut sur le seuil de la pièce.

— La voiture de Miss Brenda est là, Mr. Thompson. Voulez-vous que je commence à charger le coffre ?

— Oui, s'il vous plaît, Sacket.

Je lui avais dit que je ne voulais pas de mes nouvelles affaires mais il avait insisté pour que je les emporte.

— Tu en feras ce que tu voudras, Brenda, mais tout est à toi.

J'avais cependant tenu bon en ce qui concernait les produits de beauté et refusé de prendre le moindre bâton de rouge à lèvres. Il se passerait au moins une éternité avant que je ne me maquille de nouveau.

— Tu pourras voyager seule ? demanda Peter.

Je faillis pouffer de rire. Je détournai les yeux et me levai. Une limousine de location devait m'emmener dans un foyer d'accueil dont je savais peu de chose, sinon que le couple qui le tenait avait d'abord utilisé les locaux pour héberger des touristes. Une douzaine d'enfants de tous âges y vivaient déjà. On avait dit à Peter, qui avait tenté de m'en convaincre, que cette mesure ne durerait que le temps de trouver une solution plus adaptée à mon cas, des parents nourriciers ou même peut-être adoptifs.

Je ne pouvais m'empêcher de penser à ma mère et de rêver que c'était elle qui m'attendait dehors, dans sa voiture. Elle avait entendu parler de ma situation et était venue me chercher. J'allais enfin la voir.

Ce rêve merveilleux me fit traverser la maison d'une démarche assurée dont Pamela aurait été fière. Cette idée m'amusa. Intrigué par mon expression, Peter esquissa l'un de ses fameux sourires en coin.

— J'ai déposé à la banque un peu d'argent à ton nom, me dit-il comme nous arrivions devant la porte.

Je me retins difficilement de répliquer : « Je l'ai bien gagné » et sortis sur le perron. C'était une journée grise, au ciel couvert; une bise aigre écarta de mon front les quelques mèches qui avaient échappé aux ciseaux. J'enfonçai sur mon crâne la casquette de base-ball que Peter m'avait achetée.

Pour la limousine, il n'avait pas lésiné. Un chauffeur bondit de la longue voiture noire et se planta devant la portière arrière.

— Tu es une jeune fille exceptionnelle, Brenda, déclara Peter. Ne laisse personne te convaincre du contraire. Quoi que tu décides de faire, je suis sûr que tu y arriveras. Peut-être deviendras-tu avocate; je te ferai alors embaucher dans mon cabinet.

— Sûrement pas, répliquai-je.

Son sourire s'effaça et il parut très déçu.

— Je voulais autre chose pour toi, une vie plus heureuse, affirma-t-il. J'espère que tu le crois.

Je fis oui de la tête. Puis je jetai un coup d'œil vers l'entrée et l'escalier. Pamela ne saurait même pas que j'étais partie. Quelle importance, d'ailleurs? Nous n'étions jamais devenues mère et fille, du moins pas comme je l'avais rêvé.

Peter s'inclina pour m'embrasser sur le front.

— Au revoir, Brenda. Bonne chance.

— Merci, marmonnai-je en descendant le perron.

Lorsque je me retournai, Peter se tenait toujours sur le seuil de la maison. Le vent agitait ses cheveux. Il leva la main pour me saluer puis, comme s'il obéissait à un coup de sifflet, il fit demi-tour et rentra.

Nous partîmes. Le chauffeur tenta de lier conversation mais, se heurtant à des monosyllabes peu amènes, il renonça bientôt et je me retrouvai seule avec mes pensées. Un peu moins de deux heures plus tard, la voiture s'arrêta devant le foyer d'accueil. Lakewood House était une grande bâtisse en bardeaux gris qu'un porche entourait presque entièrement. Les enfants étant en classe, un grand silence régnait. Le chauffeur commençait à décharger le coffre lorsqu'un homme de haute taille surgit du coin de la maison. Torse nu, il portait une pioche sur l'épaule. Je remarquai tout de suite ses épaules larges et ses bras musclés dont l'un portait un tatouage. Ses mains me firent penser à deux étaux métalliques. Il s'arrêta et, balançant son instrument comme s'il s'agissait d'une canne légère, il l'appuya sur le sol.

— Louise! appela-t-il.

Il m'examina des pieds à la tête et cria de nouveau :

— Louise!

Cette fois-ci, il ponctua son appel d'un grand coup du plat de la pioche contre le bâtiment. De quoi l'ébranler tout entier, ainsi que ce qu'il contenait.

La porte s'ouvrit et une grande femme aux cheveux longs en jaillit. Elle devait avoir environ cinquante ans. Les petites rides qui marquaient sa peau près des yeux et au-dessus des lèvres auraient donné à Pamela la crise cardiaque dont elle m'imputait la responsabilité. Mais Louise avait un regard jeune, amical et d'un bleu intense.

— Tu es sûre qu'elle a apporté assez de choses? demanda l'homme en désignant la petite montagne que formaient mes valises et mes sacs.

— Nous trouverons bien la place de tout ranger, m'assura Louise.

— Pas dans sa chambre, en tout cas, corrigea-t-il.

— Nous nous débrouillerons. Bonjour, chérie. Je m'appelle Louise. Voici mon mari, Gordon. C'est lui qui entretient la propriété. Tu as fait un long voyage?

— Non.

— Dans une voiture comme ça, elle a pas dû trouver le temps long, dit Gordon en s'approchant. Il m'examina tout en essuyant ses mains sur son pantalon.

— Tu as de la chance. Tu vas avoir une chambre pour toi toute seule, reprit sa femme. Mais Gordon a raison, il n'y aura pas assez de place dans le placard pour ranger toutes tes affaires.

Le chauffeur referma le coffre.

— Qu'est-ce qu'on vous donne pour ce boulot? lui demanda Gordon.

— Cent cinquante, répondit le chauffeur d'un ton guilleret.

— Je ferais peut-être bien de changer de métier, marmonna Gordon.

— Vous gênez pas, dit le chauffeur en remontant dans la voiture.

Il n'y avait pas eu de bonjour entre nous et il n'y eut pas d'au revoir. Je ne connaissais même pas son nom et il ignorait sans doute le mien.

— Qui va trimballer tout ça dans la maison? demanda Gordon.

— Je peux le faire, dis-je. Ne vous inquiétez pas pour la place. Il y a un tas de choses dont je ne veux pas.

Il me dévisagea avec insistance puis sourit.

— Indépendante, hein?

— Laissons-la d'abord s'installer, Gordon. Ensuite, nous ferons connaissance.

— J'ai hâte, fit-il en s'éloignant à grands pas vers le garage.

— Gordon n'a pas l'habitude d'avoir des enfants dans la maison, expliqua Louise. Nous tenions un hôtel réputé pour touristes. Mais c'était avant la crise.

Tandis que nous montions dans ma chambre quelques-uns de mes bagages, elle me raconta leur histoire et celle de la propriété. Puis elle me fit visiter la maison, me montra la salle à manger, la salle de jeux, la cuisine et expliqua ce qu'il s'y passait durant l'âge d'or du tourisme. Des photos des employés et des clients ornaient les murs. Ce récit m'intéressa et me donna l'impression de m'installer dans un hôtel.

Sentiment de brève durée, à coup sûr.

— Je t'emmènerai à l'école dès demain, promit

Louise. Maintenant, tu devrais te reposer en attendant le retour des autres. Tu vas te faire plein d'amis ici, prédit-elle.

Je gardai le silence. Les nuages se dissipaient et des taches bleues apparaissaient ici et là. Le vent n'avait pas faibli mais il était plus chaud. J'allai dans le parc, planté d'érables et de saules, et m'assis au sommet d'une petite colline pour regarder le lac qui s'étendait à mes pieds. De jolis oiseaux voletaient et je les suivis longuement des yeux. Absorbée dans mes pensées, je faillis ne pas entendre le retour du car scolaire et les voix des écoliers. Leur vue me fit sourire. La maison avait repris vie comme une grosse maman ouvrant ses bras avec amour.

Très vite, quelques enfants curieux s'approchèrent de moi. Louise avait dû les mettre au courant de mon arrivée. Une petite fille aux longs cheveux dorés et au visage d'ange en suivait une plus grande, affublée de lunettes à verres épais, qui portait des livres de classe. Elles s'arrêtèrent à quelques mètres de moi.

— Louise nous a dit que tu venais d'arriver, dit la fille aux lunettes. Je m'appelle Crystal, et voici Janet. Tu peux nous prendre pour ton comité d'accueil, ajouta-t-elle un peu sèchement.

Cette présentation alambiquée me fit rire.

Elles s'approchèrent un peu plus.

— Je m'appelle Brenda.

— Ici, c'est mon endroit préféré, dit Crystal. S'il fait beau, c'est là que je commence mon travail.

J'acquiesçai et regardai Janet. Celle-ci était si timide qu'elle n'osait me regarder en face. Je hasardai un sourire qu'elle me rendit. Puis toutes deux s'assirent et nous restâmes silencieuses, à contempler le lac. Le soleil perçait à présent et ses rayons tièdes inondaient mon visage, le débarrassant de tous les masques que j'avais dû porter. C'était délicieux.

Sans mot dire, Crystal et Janet me regardaient de temps à autre. Elles aussi avaient subi le système. Tels des soldats revenant des mêmes combats, nous n'avions pas à nous hâter de faire connaissance. Nous aurions tout le temps nécessaire pour cela, et plus encore, car les promesses de nouvelles maisons et de nouvelles familles qu'on nous avait faites s'estomperaient dans les jours à venir.

Peu m'importait. Les yeux perdus au loin, au-delà du lac et des collines vertes, je pensais à bien autre chose.

Des voix, des ovations, des cris montèrent du vallon et emplirent mes oreilles. Le stade se dessina en surimpression sur le paysage. Campée sur le marbre, je regardai le lanceur puis Mrs. Grossbard. Elle ferma les yeux comme pour une brève prière puis les rouvrit et me sourit. Je pris une profonde inspiration et balançai la batte.

Dès que j'eus frappé la balle, je sus qu'elle allait faire un coup de circuit. Emportant mon espoir, elle s'élevait de plus en plus haut. Peu m'importait d'oublier tout le reste, de perdre mes souvenirs récents, tant que je pouvais fermer les yeux et revivre cet instant.

Tant que je pouvais courir de base en base et redevenir moi-même.

Composition Euronumérique
Achevé d'imprimer en Europe (Allemagne)
par Elsnerdruck à Berlin
le 11 mai 1999.
Dépôt légal mai 1999. ISBN 2-290-05182-9

Éditions J'ai lu
84, rue de Grenelle, 75007 Paris
Diffusion France et étranger : Flammarion